Amigos robots

Colección dirigida por

Francisco Antón

Isaac Asimov

Amigos robots

Ilustraciones
David Shannon

Traducción
Francisco Torres Oliver

Actividades
Gabriel Casas

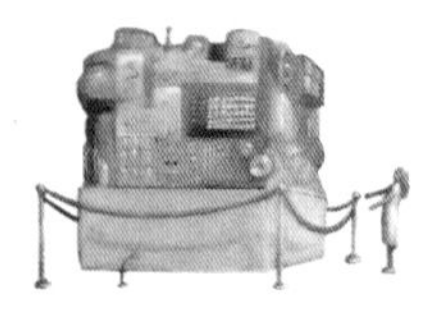

Primera edición, 1999
Reimpresiones, 1999, 2001, 2002,
2003, 2004, 2005, 2006, 2007, 2008
Décima reimpresión, 2009

Depósito Legal: B. 10.412-2009
ISBN: 978-84-316-4834-3
Núm. de Orden V.V.: BC12

IMPRESO EN ESPAÑA
PRINTED IN SPAIN

Editorial VICENS VIVES. Avda. de Sarriá, 130. E-08017 Barcelona.
Impreso por Gráficas INSTAR, S.A.

Índice

Robbie

—Noventa y ocho, noventa y nueve y cien —acabó de contar Gloria, apoyada contra el árbol. La niña se quitó de los ojos su bracito gordinflón y se quedó parada un momento, parpadeando y arrugando la nariz a causa del sol. A continuación, procurando mirar en todas direcciones a la vez, se alejó cautamente[1] unos pasos del árbol sobre el que había estado apoyada.

Estiró el cuello para estudiar la posibilidad de que él estuviera escondido tras unos arbustos que había a la derecha, y se alejó un poco más para tener un ángulo que le permitiera ver mejor los rincones más apartados del jardín. El silencio era profundo, salvo el zumbido incesante[2] de los insectos y el trino ocasional de algún pájaro que se atrevía a desafiar al sol de mediodía.

---

1 **cautamente**: con cuidado, sin hacer ruido.
2 **incesante**: continuo, que no para.

—Seguro que se ha metido en casa —dijo Gloria, torciendo el gesto—, y le he dicho mil veces que eso no vale.

Con sus diminutos labios apretados, el ceño[3] arrugado y la mirada atenta, Gloria echó a andar con determinación hacia el edificio de dos plantas que se encontraba al otro lado del camino de la entrada.

Demasiado tarde ya, Gloria oyó crujidos detrás de ella, seguidos del rítmico clamp-clamp de los pies metálicos de Robbie. Gloria se volvió, y vio que su compañero salía triunfal de su escondite y corría veloz hacia el árbol que hacía de madre.

Gloria lanzó un grito de consternación.[4]

—¡Espera, Robbie! ¡No vale! Me prometiste no echar a correr hasta que yo te viera.

Los pequeños pasos de Gloria no podían competir con las zancadas de Robbie. Entonces, a unos tres metros de la meta, Robbie se puso de repente a andar despacio; y Gloria, con un sprint decisivo, lo adelantó jadeante[5] y tocó la corteza del árbol-madre antes que él.

Se volvió jubilosa hacia el fiel Robbie y, con la más mezquina ingratitud, premió su sacrificio echándole cruelmente en cara su supuesta incapacidad para correr.

—¡Robbie no puede corre-er! ¡Robbie no puede corre-er! —gritaba Gloria con toda la fuerza de su vocecita de ocho años—. ¡Yo le gano siempre! ¡Yo le gano siempre! —cantaba con voz aguda y ritmo machacón.

Robbie, por supuesto, no contestó..., al menos con pala-

---

3 **ceño**: entrecejo, parte de la frente que está entre las cejas.

4 **consternación**: disgusto, pena, enfado.

5 **jadeante**: respirando rápido y con dificultad.

bras. Se puso a hacer como que corría, alejándose poco a poco, y Gloria echó a correr tras Robbie, que la esquivaba siempre en el último momento, obligándola a girar en círculo con los bracitos extendidos.

—¡Robbie! —protestó—. ¡Quédate quieto!

Y la risa le salía forzada en jadeantes carcajadas, hasta que Robbie se volvió de repente y la cogió, haciéndola girar en volandas[6] de manera que, para ella, el mundo se desvaneció momentáneamente, dejando tan sólo una especie de vacío azul, y los árboles verdes se inclinaron ávidos[7] hacia ese vacío. A continuación Robbie la bajó a la yerba, y Gloria se apoyó en la pierna de Robbie sin soltar todavía su dedo duro, metálico.

Poco después Gloria había recobrado el aliento. Se echó inútilmente hacia atrás su pelo alborotado, imitando vagamente uno de los gestos de su madre, y se giró para ver si se había roto el vestido.

Gloria dio una palmada a Robbie en el torso:

—¡Eres un chico malo! ¡Te voy a dar una azotaina!

Y Robbie se encogió, cubriéndose la cara con las manos, de manera que Gloria tuvo que añadir:

—No, Robbie, no te voy a pegar. Pero ahora me toca a mí esconderme, porque tú tienes las piernas más largas y me habías prometido no correr hasta que te viera.

Robbie asintió con la cabeza (un pequeño paralelepípedo[8] de aristas y vértices redondeados unido a otro paralelepípedo parecido, pero mucho más grande, que hacía de tronco

---

6 **en volandas**: por el aire, como si fuera volando.

7 **ávidos**: ansiosos.

8 **paralelepípedo**: cuerpo geométrico de seis caras paralelas dos a dos.

mediante un cilindro corto y flexible), y se puso obedientemente de cara al árbol. Una delgada lámina metálica ocultó sus ojos encendidos, y en el interior de su cuerpo se inició un tic-tac resonante y regular.

—Ahora no mires; y no te saltes números —le advirtió Gloria, y corrió a esconderse.

Robbie fue marcando los segundos con invariable regularidad; al llegar al número cien se alzaron los párpados, y los brillantes ojos rojos de Robbie barrieron todo el entorno. Se detuvieron un instante en un trocito de tela de vivos colores que asomaba de detrás de una roca. Entonces avanzó unos pasos y comprobó que era Gloria, que se había agazapado[9] detrás.

Lentamente, manteniéndose siempre entre Gloria y el árbol que hacía de madre, Robbie avanzó hacia el escondite, y, cuando Gloria estuvo claramente a la vista y ella no podía por menos de reconocer que se la veía, Robbie alargó una mano hacia ella, al tiempo que con la otra se golpeaba la pierna haciéndola resonar. Gloria salió de su escondite de malhumor.

—¡Has mirado mientras contabas! —exclamó con grosera injusticia—. Además, ya estoy cansada de jugar al escondite. Quiero que me lleves a hombros.

Pero Robbie se sintió herido ante acusación tan injusta, así que se sentó con cuidado y meneó la cabeza gravemente de un lado a otro.

Gloria adoptó en seguida un tono zalamero.[10]

---

9 **agazapado**: agachado para esconderse.
10 **zalamero**: cariñoso para contentar al otro.

—Vamos, Robbie... Lo de que has mirado no lo decía en serio. Dame un paseo, anda...

Robbie no iba a dejarse convencer tan fácilmente, así que miró obstinadamente[11] al cielo, y meneó la cabeza con más energía.

—Anda, Robbie. Por favor...

Gloria le rodeó el cuello con sus bracitos sonrosados y lo apretó con fuerza. Luego, cambiando al instante de humor, se apartó y le dijo:

—Pues si no me das un paseo, lloraré —y contrajo la cara asombrosamente para empezar a llorar.

El insensible Robbie no prestó atención a esta horrible posibilidad, y negó con la cabeza por tercera vez. Gloria comprendió que había llegado el momento de jugarse su mejor baza.[12]

—Si no me das un paseo —exclamó acalorada—, no te contaré más cuentos, ya está. Ni uno más.

Ante semejante ultimátum[13] Robbie se rindió de manera incondicional,[14] asintiendo vigorosamente con la cabeza hasta que el metal de su cuello empezó a hacer ruido. Levantó a la niña con cuidado y la sentó sobre sus hombros anchos y planos.

Gloria renunció a cumplir su amenaza de llorar, y ahora, en cambio, se puso a dar gritos de contento. La piel metálica de Robbie, que conservaba una temperatura constante de veintiún grados, gracias a ciertas resistencias interiores,

---

11 **obstinadamente**: con tozudez o cabezonería.

12 **su mejor baza**: su mejor carta; esto es, le dirá algo para presionarlo.

13 **ultimátum**: última posibilidad que se le ofrece a alguien para algo.

14 **incondicional**: sin condiciones.

tenía un tacto suave. Y el sonido que la niña producía al golpear rítmicamente con los talones en su pecho, resultaba agradable.

—Eres un avión como los que recorren la costa, Robbie; eres un avión costero grande y plateado. Pon los brazos abiertos. Venga, Robbie, tienes que abrir los brazos, si quieres ser un avión costero.

Lo cual era de una lógica aplastante, desde luego. Los brazos de Robbie eran alas que cogían las corrientes de aire y él era un avión plateado.

Gloria torció la cabeza del robot y la inclinó a la derecha. El robot se ladeó bruscamente. Gloria lo proveyó[15] de un motor que hacía «br-r-r-r», y después de armas que hacían «pui» y «sh-sh-shshsh». Los piratas le estaban dando caza, así que entraron en acción las armas antiaéreas de la nave. Los piratas caían como moscas.

—¡Otro que ha caído!... ¡Dos más! —exclamaba; y a continuación—: ¡Más deprisa, muchachos! —dijo con gran autoridad—; nos estamos quedando sin munición.

Apuntaba por encima del hombro con intrépida valentía, y Robbie era una nave espacial de proa roma[16] que surcaba[17] el espacio al máximo de aceleración.

Robbie corrió libremente por el campo hasta la zona de yerba alta del otro lado, y allí se detuvo tan en seco que su arrebolada[18] conductora dio un chillido y cayó a la blanda y verde alfombra.

15 **proveyó**: lo dotó, le colocó.
16 **proa roma**: punta chata.
17 **surcaba**: atravesaba.
18 **arrebolada**: con la cara enrojecida.

Gloria jadeaba y resoplaba, y lanzaba intermitentes exclamaciones que eran como susurros:

—¡Ha sido estupendo!... ¡Ha sido estupendo!...

Robbie esperó a que recobrara el aliento, y luego dio un suave tironcito de uno de sus mechones.

—¿Quieres algo? —dijo Gloria, con los ojos muy abiertos y aparentando una torpe perplejidad[19] que estaba muy lejos de engañar a su «niñera». El robot volvió a tirarle del pelo, más fuerte esta vez.

—Ah, ya sé. Quieres un cuento.

Robbie asintió vivamente con la cabeza.

—¿Cuál?

Robbie trazó un semicírculo en el aire con el dedo.

La niña protestó.

—¿El de Cenicienta otra vez? Te lo he contado ya un millón de veces. ¿Es que no te cansa? Es para niños pequeños.

Otro semicírculo.

—Bueno, está bien.

Gloria se sosegó, repasó mentalmente los detalles del cuento (con los añadidos de su propia cosecha, que no eran pocos), y empezó:

—¿Estás preparado? Pues bien, había una vez una niña preciosa que se llamaba Isabel, que tenía una madrastra muy cruel y dos hermanastras feísimas y muy crueles; y...

Gloria siguió relatando el cuento, y, cuando estaba llegando a lo más emocionante (el momento en que, al dar las doce, las cosas empiezan a volverse andrajosas[20] a toda me-

19 **perplejidad**: sorpresa, desconcierto.
20 **andrajosas**: viejas y estropeadas.

cha, mientras Robbie escuchaba atento, con los ojos encendidos), sobrevino la interrupción.

—¡Gloria!

Era la típica voz atiplada[21] de la madre que lleva rato llamando, con el tono nervioso de la persona cuya impaciencia empieza a ceder terreno al nerviosismo.

—Me está llamando mamá —dijo Gloria, no muy contenta—. Será mejor que me lleves a casa, Robbie.

Robbie obedeció con presteza,[22] porque había algo en él que juzgaba lo más prudente obedecer a la señora Weston sin la menor vacilación. El padre de Gloria estaba rara vez en casa durante el día, salvo los domingos (y ese día lo era); pero cuando se encontraba en casa, se mostraba como una persona cordial y comprensiva. En cambio la madre era permanente motivo de inquietud para Robbie, y siempre se sentía tentado a desaparecer de su vista.

La señora Weston los vio en el instante en que se levantaron y se asomaron por encima de las matas que los ocultaban, y regresó a casa a esperarlos.

—Estoy afónica de tanto gritar, Gloria —dijo con severidad—. ¿Dónde estabas?

—Estaba con Robbie —dijo Gloria con voz temblorosa—. Le estaba contando el cuento de Cenicienta, y se me olvidó que era hora de comer.

—Bueno, lástima que se le haya olvidado a Robbie también —y a continuación, como si la mención de su nombre le recordase que el robot estaba allí, se volvió hacia él—: Pue-

21 **atiplada**: voz aguda.
22 **con presteza**: rápidamente.

des irte, Robbie. Gloria no te necesita ahora —y añadió con brusquedad—: Y no vuelvas mientras yo no te llame.

Robbie dio media vuelta para irse, pero vaciló al protestar Gloria:

—Espera, mamá; tienes que dejarle que se quede. Aún no he terminado de contarle el cuento. Le he dicho que se lo contaría, y aún no he terminado.

—¡Gloria!

—Es la verdad, mamá; se estará tan quieto que no vas a notar que está aquí. Se estará sentado en la silla del rincón, y no dirá una palabra. Te aseguro que no hará nada; ¿verdad, Robbie?

Robbie respondió a la niña moviendo su imponente cabeza de arriba abajo una vez.

—Gloria, como no dejes de dar la lata no vas a ver a Robbie en una semana.

La niña bajó los ojos.

—Está bien. Pero la Cenicienta es su cuento favorito, mamá, y no había terminado de contárselo. Y le gusta muchísimo.

El robot salió con pasos desconsolados, y Gloria ahogó un sollozo.

El padre de Gloria, George Weston, estaba muy a gusto. Tenía costumbre de sentirse a sus anchas los domingos por la tarde: una buena y abundante comida en casa, un sofá blando y desvencijado donde arrellanarse,[23] un ejemplar del

---

23 **desvencijado**: destartalado, con las partes que lo componen flojas; **arrellanarse:** extenderse cómodamente en un asiento.

periódico dominical, los pies embutidos en las zapatillas, el pecho descamisado... ¿Cómo no iba a estar a gusto?

Así que no se alegró al ver entrar a su mujer. Después de diez años de casados, y a pesar del carácter insoportable de su esposa, Weston aún la quería, y no había la menor duda de que siempre se alegraba de verla. Sin embargo, las tardes de los domingos eran sagradas para él, y su noción de la comodidad incluía que le dejaran en paz dos o tres horas. Conque clavó firmemente los ojos en las últimas noticias sobre la expedición Lefebre-Yoshida a Marte (expedición que iba a salir de la base lunar y podía tener efectivamente éxito) y fingió no ver a su mujer.

Ella esperó pacientemente dos minutos; luego, con impaciencia, otros dos. Por último rompió el silencio.

—¡George!

—¿Hmmm?

—George, ¿me oyes? ¿Quieres hacer el favor de apartar el periódico y mirarme?

El periódico se deslizó al suelo con un susurro, y Weston volvió su cara cansada hacia su mujer.

—¿Qué ocurre, cariño?

—Lo sabes de sobra, George. Se trata de Gloria y esa máquina horrible.

—¿Qué máquina horrible?

—Venga, deja de hacerte el tonto. Te estoy hablando de ese robot al que Gloria llama Robbie. No la deja ni un minuto.

—Bueno, ¿y por qué va a dejarla? Se supone que lo que tiene que hacer es estar con ella. Y desde luego no es una máquina horrible: es el mejor robot que puede adquirirse

hoy en día. Y además, me ha costado la mitad de lo que gano yo en un año. Eso sí, lo vale... Es más inteligente que la mitad del personal de mi oficina.

Hizo ademán[24] de coger el periódico otra vez, pero su mujer fue más rápida y se lo arrebató.

—Ahora escúchame, George. No estoy dispuesta a confiar a mi hija a una máquina... y me importa un bledo lo inteligente que sea. No tiene alma, y no se sabe lo que puede estar pensando. No se tienen los hijos para que los cuide un trasto de metal.

Weston arrugó el ceño.

—¿Cuándo has decidido eso? Lleva ya con Gloria dos años y nunca he visto que te preocupara, hasta ahora.

—Al principio era diferente. Era una novedad; me descargó de un montón de trabajo, y estaba de moda tener uno. Pero ahora no sé. Los vecinos...

24 **ademán**: gesto.

—Vaya, ¿qué tienen que ver los vecinos en esto? Escucha, un robot es infinitamente más de fiar que una niñera humana. Robbie ha sido construido con una única finalidad: hacer compañía a un niño pequeño. Toda su "mentalidad" ha sido creada para esa función. No tiene más remedio que ser fiel, cariñoso y amable. Es una máquina... hecha precisamente para eso. Es más de lo que se pueda decir de un ser humano.

—Pero podría estropeársele algo. Podría... podría... —la señora Weston tenía una idea muy vaga de las tripas de un robot— soltársele alguna pieza a ese trasto horrible, y trastornarse, y... y... —no fue capaz de terminar de expresar con palabras la evidente consecuencia.

—Vaya tontería —rechazó Weston, con un estremecimiento involuntario—. Es completamente ridículo. Ya discutimos bastante, cuando compramos a Robbie, sobre la Primera Ley de la Robótica.[25] Sabes que es imposible que un robot haga daño a un ser humano; que mucho antes de que se estropee algo de forma que altere esa Primera Ley, el robot dejaría de funcionar. Es una imposibilidad matemática. Además, un ingeniero de «U.S. Robots» viene dos veces al año a hacerle una revisión completa al pobre chisme. Hay tantas posibilidades de que Robbie se trastorne como de que perdamos un tornillo tú o yo..., muchísimas menos, en realidad. Además, ¿cómo se lo vas a quitar a Gloria?

Hizo otro vano intento de coger el periódico, y su mujer lo lanzó irritada a la habitación de al lado.

---

25 Para Isaac Asimov la "Primera Ley de la Robótica" es que un robot no puede nunca hacer daño a un ser humano ni permitir que nada ni nadie le haga daño.

—¡Ésa es la cuestión, George! No quiere jugar con nadie más. Hay docenas de niños y niñas de su edad con los que podría hacer amistad; pero no quiere. No se acerca a ellos a menos que yo la obligue. Ésa no es manera de criarse una niña. Tú quieres que sea normal, ¿no? Que sea capaz de ocupar un puesto en la sociedad.

—Estás viendo visiones, Grace. Imagínate que Robbie fuera un perro. He visto centenares de niños que preferirían su perro a su padre.

—Un perro es diferente, George. Debemos librarnos de ese trasto horrible. Puedes vendérselo otra vez a la compañía. Lo he preguntado y se puede hacer.

—¿Cómo que lo has preguntado? Escucha, Grace, no saquemos las cosas de quicio. Conservaremos el robot hasta que Gloria sea mayor. Y no quiero hablar más del asunto.

Y dicho esto, Weston salió de la habitación de muy malhumor.

Dos días después, la señora Weston recibió a su marido en la puerta.

—Tenemos que hablar, George. En el pueblo hay mucho malestar.

—¿Sobre qué? —preguntó Weston, pero acto seguido entró en el cuarto de baño e impidió toda posible respuesta al abrir el grifo del agua.

La señora Weston esperó.

—Sobre Robbie —dijo.

Weston salió, toalla en mano, con la cara encendida e irritada.

—¿De qué estás hablando?

—Ah, esto se veía venir, se veía venir... Hasta ahora he tratado de cerrar los ojos, pero no voy a cerrarlos más. La gente del pueblo considera a Robbie un peligro. No dejan que sus hijos se acerquen a nuestra casa al anochecer.

—En cambio, nosotros confiamos a nuestra hija al robot.

—Bueno, la gente no es muy razonable.

—Entonces que se vayan al diablo.

—Con decir eso no se resuelve el problema. Yo tengo que hacer la compra allí. Tengo que verlos todos los días. Y en la ciudad las cosas se han puesto peor respecto a los robots. En Nueva York han prohibido que haya robots en la calle entre la puesta y la salida del sol.

—Está bien, pero no pueden impedir que tengamos un robot en casa. Grace, ésta es otra de tus obsesiones. Pero no insistas. La respuesta es no. ¡Robbie continuará con nosotros!

Pero Weston quería a su mujer... y lo que era peor: su mujer lo sabía, y se aprovechaba de ello. Al fin y al cabo George Weston era sólo un hombre, y su esposa recurría a todas las argucias[25] que en ocasiones emplean algunas mujeres y que los hombres han aprendido, con razón, a temer.

Diez veces proclamó Weston, a lo largo de la semana siguiente:

—Robbie se queda... ¡no hay más que hablar! —aunque cada vez con voz más débil, cada vez con un gemido más angustiado y sonoro.

---

25 **argucias**: argumentos o palabras falsas pero que son presentadas como verdaderas.

Finalmente llegó el día en que Weston se acercó a su hija, entre avergonzado y culpable, y le propuso llevarla al «precioso» espectáculo de visivox que daban en la ciudad.

Gloria palmoteó feliz.

—¿Puede venir Robbie también?

—No, cariño —dijo George, con gesto apenado—. No se permite la entrada a los robots... Pero se lo puedes contar al volver —balbuceó las últimas palabras con voz insegura, y desvió la mirada.

Gloria regresó de la ciudad desbordante de entusiasmo: había sido un espectáculo espléndido de verdad.

Esperó a que su padre bajara el coche-reactor al garaje.

—Verás cuando se lo cuente a Robbie, papá. Se va a quedar turulato; sobre todo cuando le cuente cómo retrocedía Francis Fran mu-u-uy despacito, hasta que al final chocó con uno de los hombres-leopardo y tuvo que echar a correr —Gloria volvió a reír—. Papá, ¿es verdad que hay hombres-leopardo en la luna?

—Probablemente no —dijo Weston con aire ausente—. Sólo de mentirijillas.

Weston no podía entretenerse mucho más con el coche. Tenía que dar la cara.

Gloria cruzó corriendo el césped:

—¡Robbie! ¡Robbie!

A continuación Gloria se detuvo de repente, al ver en el porche un hermoso perro escocés que la miraba con sus ojos de color castaño al tiempo que meneaba la cola.

—¡Qué perro más precioso! —Gloria subió corriendo los escalones, se acercó con precaución y le pasó la mano—. ¿Es para mí, papá?

Su madre se unió a ellos.

—Sí, Gloria. ¿A que es bonito, con ese pelo suave y largo? Es muy manso. Le encantan las niñas.

—¿Sabe jugar?

—Claro. Sabe hacer toda clase de gracias. ¿Quieres verle hacer alguna?

—En seguida. Quiero que Robbie lo vea también. ¡Robbie! —se detuvo, indecisa, y arrugó el ceño—. Seguro que se ha quedado en su habitación, enfadado porque no lo he llevado al visivox. Tendrás que explicárselo tú, papá. A mí no me creerá; pero sabe que si se lo dices tú es verdad.

A Weston se le pusieron más tensos los labios. Miró a su mujer, pero ésta no se percató de su mirada.

Gloria se volvió y bajó corriendo la escalera del sótano al tiempo que gritaba:

—¡Robbie, ven a ver lo que me han traído papá y mamá! ¡Es un perro, Robbie!

Un momento después volvió la niña un poco asustada.

—Mamá, Robbie no está en su habitación. ¿Dónde está?

No hubo respuesta. George Weston tosió, y se sintió repentinamente interesado en una nube que se desplazaba sin rumbo. La voz de Gloria tembló al borde de las lágrimas.

—¿Dónde está Robbie, mamá?

La señora Weston se sentó y atrajo hacia sí a su hija.

—No te preocupes, Gloria. Creo que Robbie se ha ido.

—¿Que se ha ido? ¿Adónde? ¿Adónde se ha ido, mamá?

—Nadie lo sabe, cariño. Se ha marchado sin más. Lo hemos estado buscando y buscando, pero no lo hemos encontrado.

—¿Crees que no volverá? —tenía los ojos muy abiertos de horror.

—Tal vez lo encontremos pronto. Seguiremos buscando. Mientras tanto, puedes jugar con tu precioso perro. ¡Míralo! Se llama Relámpago y puede...

Pero a Gloria se le anegaron los ojos de lágrimas.

—No quiero a ese perro asqueroso... Quiero a Robbie. Quiero que me traigáis a Robbie.

Sus sentimientos eran demasiado profundos para expresarlos con palabras, de manera que Gloria estalló en un llanto incontenible.

La señora Weston miró a su marido como pidiéndole ayuda, pero él se retiró arrastrando los pies, sin apartar los ojos del cielo, de manera que su mujer tuvo que asumir la tarea de consolarla.

—No llores, Gloria. Robbie era sólo una máquina, una máquina vieja y repelente. No tenía vida.

—¡Él no era ninguna máquina! —gritó Gloria—. Era una persona como tú y como yo, y era mi amigo. Quiero que vuelva. ¡Ay, mamá, quiero que vuelva!

La madre soltó un gruñido que delataba su fracaso y dejó a Gloria sumida en su pena.

—Déjala que llore —dijo a su marido—. Las penas infantiles nunca duran mucho. Dentro de unos días se habrá olvidado de que existió siquiera ese horrible robot.

Pero el tiempo se encargó de demostrar que la señora Weston era optimista en exceso. Ciertamente, Gloria dejó de llorar, pero también dejó de sonreír; y a medida que pasaban los días se iba volviendo más callada y sombría. Poco a poco, la actitud de pasiva desdicha de la niña fue minan-

do[27] a la señora Weston, y todo lo que le impedía rendirse era la imposibilidad de admitir la derrota ante su marido.

Una tarde entró en tromba en el cuarto de estar, se sentó y cruzó los brazos con expresión furibunda. Su marido estiró el cuello para mirar por encima del periódico.

—¿Qué pasa ahora, Grace?

—La niña, George. Hoy he tenido que devolver el perro. Gloria dice que no soporta su presencia. Esta niña me va a provocar una depresión nerviosa.

Weston dejó el periódico, y sus ojos reflejaron un destello de esperanza.

27 **minando**: quitándole fuerzas.

—Tal vez… tal vez deberíamos traer otra vez a Robbie. No sería difícil. Puedo llamar a…

—¡No! —replicó su mujer, inflexible—. Eso ni hablar. No vamos a ceder así como así. A mi hija no la cría un robot, aunque tarde años en quitárselo de la cabeza.

Weston volvió a coger el periódico con ademán desencantado.

—Si tenemos que estar un año en este plan me van a salir canas antes de hora.

—Eres una gran ayuda, George —fue la fría respuesta—. Lo que Gloria necesita es cambiar de ambiente. Como es natural, aquí no puede olvidar a Robbie. ¿Cómo va a olvidarlo si cada árbol y cada piedra se lo está recordando? La verdad es que esta situación es de lo más ridícula que he visto. Figúrate: una niña languideciendo[28] porque ha perdido un robot.

—Bueno, vamos al grano. ¿Qué cambio de ambiente estás planeando?

—Vamos a llevarla a Nueva York.

—¿A la ciudad? ¿En agosto? Pero ¿sabes cómo se pone Nueva York en agosto? No hay quien lo soporte.

—Millones de personas lo soportan.

—No tienen una casa como ésta adonde ir. Si no tuvieran que quedarse por obligación, ¿crees que se quedarían?

—Bueno, pues nosotros sí… Nosotros vamos a ir ahora… o en cuanto hagamos los arreglos necesarios. En la ciudad, Gloria encontrará suficientes motivos de interés y suficientes amigos para animarse y olvidarse de la máquina.

---

28 **languideciendo**: perdiendo el ánimo.

—Por el amor de Dios —gimió Weston—, ¡con ese asfalto derretido por el calor!

—No tenemos más remedio —fue la respuesta impasible de su esposa—. Gloria ha perdido dos quilos y medio en el último mes y la salud de mi hija es para mí más importante que tu comodidad.

«Pues qué lástima que no pensaras en la salud de tu hija antes de privarla de su robot», murmuró Weston..., aunque sólo para sus adentros.

Gloria mostró inmediatos signos de mejoría en cuanto le hablaron de un viaje inminente[29] a la ciudad. Hablaba poco del asunto, pero cuando lo hacía, era siempre con animada expectación. Otra vez empezó a sonreír, y a comer con algo de su antiguo apetito.

La señora Weston estaba loca de alegría, y no perdía ocasión de exhibir su triunfo ante su todavía escéptico[30] marido.

—¿Te das cuenta, George? Gloria me ayuda a hacer el equipaje como un angelito, y parlotea como si no le preocupara nada en el mundo. Ya te lo decía yo: lo que tenemos que hacer es proporcionarle otros motivos de distracción.

—Quizá sea eso... —fue la escéptica respuesta—. Espero que así sea.

Llevaron a cabo rápidamente los preparativos. Mandaron hacer los arreglos necesarios en su casa de la ciudad, y contrataron una pareja para que cuidase la casa de campo durante su ausencia. Cuando finalmente llegó el día de la

29 **inminente**: que está a punto de llevarse a cabo.
30 **escéptico**: que no cree algo (aquí, que la niña haya mejorado).

partida, Gloria volvía a ser la de siempre, y el nombre de Robbie no pasó por sus labios ni una sola vez.

La familia, de muy buen humor, tomó un girotaxi[31] para trasladarse al aeropuerto (Weston habría preferido utilizar su helicóptero particular, pero era de dos plazas y no tenía sitio para el equipaje). Una vez allí, subieron al aerobús.

—Ven, Gloria —la llamó la señora Weston—, te hemos guardado el asiento de la ventanilla para que puedas ver el paisaje.

Gloria trotó alegremente por el pasillo, aplastó la nariz contra el grueso cristal ovalado, y se puso a mirar cada vez más absorta,[32] hasta que un repentino impulso del motor la echó hacia atrás, hacia el interior. Era demasiado pequeña para asustarse cuando el suelo se alejó como si se abriera una trampa y como si de pronto pesase el doble de lo normal, aunque no demasiado pequeña para sentir especial interés por el fenómeno. Sólo cuando la tierra se convirtió en una especie de colcha de minúsculos remiendos[33] retiró Gloria la nariz y miró a su madre.

—¿Estaremos pronto en la ciudad, mamá? —preguntó, frotándose la nariz fría y mirando curiosa cómo se reducía y desaparecía el rodal de vapor que su aliento había dejado en el cristal.

—Dentro de una media hora, cariño —y luego, con un asomo de inquietud—: ¿A que te alegras de este viaje? ¿A que vas a disfrutar muchísimo en la ciudad, con todos los

---

31 **girotaxi**: helicóptero-taxi.

32 **absorta**: ensimismada, concentrada en algo, y sin darse cuenta de lo que pasa alrededor.

33 **remiendo**: trozo de tela cosido para tapar el agujero de una tela.

edificios y la gente y las cosas que hay allí para ver? Iremos todos los días al visivox y al circo y a la playa y...

—Sí, mamá —contestó Gloria sin entusiasmo.

El aerobús sobrevolaba en ese momento un banco de nubes, y Gloria se quedó ensimismada contemplando, bajo sus pies, el característico paisaje algodonoso. Luego el cielo se despejó otra vez, y, de repente, Gloria se volvió a su madre con la expresión de quien está en el secreto de algo.

—Sé por qué vamos a la ciudad, mamá.

—¿Ah, sí? —la señora Weston se quedó desconcertada—. ¿Por qué, cariño?

—No me lo habéis dicho porque queréis que sea una sorpresa; pero yo lo sé —permaneció un momento callada, absorta de admiración ante su propia perspicacia,[35] y luego rió alegremente—: Vamos a Nueva York para buscar a Robbie, ¿verdad? Con detectives.

Esta explicación cogió a George Weston a mitad de beberse un vaso de agua, lo que tuvo desastrosas consecuencias. Le salió una especie de ronquido estrangulado, a continuación un geiser[36] de agua, y finalmente le sobrevino un ataque de tos. Cuando hubo terminado todo, se quedó callado, empapado de agua, con la cara congestionada,[37] y muy, muy fastidiado.

La señora Weston conservó la compostura, y, cuando Gloria repitió la pregunta en tono más expectante, ya había conseguido dominar bastante su enojo.

---

35 **perspicacia**: agudeza, que averigua las cosas con facilidad.

36 **geiser**: chorro de agua caliente que sale hacia arriba del interior de la tierra.

37 **congestionada**: roja a causa del ahogo.

—Tal vez —replicó la madre con aspereza—. Ahora siéntate y estáte quieta, por el amor de Dios.

La ciudad de Nueva York era en esa época, más que nunca a lo largo de su historia, un paraíso para el turista. Los padres de Gloria se dieron cuenta de esto y lo aprovecharon al máximo.

Por orden expresa de su mujer, George Weston lo arregló todo para que sus negocios pudieran marchar sin su intervención durante un mes más o menos, a fin de tener libre ese tiempo y dedicarlo a lo que él llamó «derrochar[38] en Gloria hasta arruinarme». Y como todo lo que él hacía, lo llevó a cabo de manera eficiente, concienzuda y metódica.[39] Antes de acabar el mes, nada de cuanto podía hacerse había quedado sin hacer.

La subieron al edificio Roosevelt, de ochocientos metros de altura, a contemplar encogidos el erizado panorama de tejados que se mezclaban a lo lejos con los campos de Long Island[40] y la llanura de Nueva Jersey. Visitaron los zoológicos, donde Gloria, deliciosamente asustada, descubrió un «león vivo de verdad» (aunque le desencantó bastante comprobar que los cuidadores le daban de comer filetes crudos y no seres humanos, como ella había supuesto), y pidió insistente y apremiantemente[41] ver «la ballena».

Los diversos museos recibieron su parte de atención, junto con los parques, las playas y el acuario.

38 **derrochar**: malgastar, gastar más de lo necesario.
39 **concienzuda y metódica**: esforzándose por hacerlo bien y ordenadamente.
40 Isla situada en la ciudad de Nueva York.
41 **apremiantemente**: con urgencia.

La llevaron hasta la mitad del Hudson[42] en un barco de vapor decorado y amueblado al viejo estilo de los locos años veinte. Subió a la estratosfera[43] en un viaje de exhibición, donde el cielo se volvió de un púrpura oscuro y salieron las estrellas, y donde la tierra brumosa,[44] abajo, parecía un inmenso tazón cóncavo. La pasearon bajo las aguas del estrecho de Long Island en una nave subacuática de paredes de cristal donde, en un mundo verde y tembloroso, unas criaturas extrañas, singulares, la miraban y se iban con un repentino latigazo.

42 El Hudson es el río que desemboca en Nueva York.

43 **estratosfera**: capa más alta de la atmósfera.

44 **brumosa**: con niebla poco densa.

En plan más prosaico,[45] la señora Weston la llevó a unos almacenes donde pudo divertirse de lo lindo con un mundo mágico de otro tipo.

De hecho, ya a punto de finalizar el mes, los Weston estaban convencidos de haber hecho todo lo imaginable por apartar del pensamiento de Gloria el recuerdo del desaparecido Robbie..., aunque no estaban seguros de haberlo logrado.

La verdad es que, allá donde la llevaran, Gloria mostraba el más concentrado interés en todos los robots que se hallaban presentes. Por muy emocionante que fuera el espectáculo que tuviera delante, por muy original que fuera a sus ojos de niña, le volvía la espalda en el instante en que captaba por el rabillo del ojo el menor destello de movimiento metálico.

La señora Weston hacía cuanto podía para mantener a Gloria alejada de los robots.

La cosa llegó a su punto crítico durante la visita al Museo de la Ciencia y la Industria. El museo había anunciado un programa especial para niños en el que se iban a exhibir ejemplos de «brujería científica» adaptados a la mentalidad infantil. Los Weston, naturalmente, lo incluyeron en su lista de «actividades ineludibles».[46]

Cuando los Weston se hallaban absortos en las hazañas de un poderoso electroimán, la señora Weston se dio cuenta de repente de que Gloria no se encontraba a su lado. Su pánico inicial dio paso a una serena decisión, y tras recabar[47]

45 **prosaico**: vulgar.
46 **ineludibles**: indispensables.
47 **recabar**: solicitar, pedir.

la ayuda de tres vigilantes, emprendió su búsqueda minuciosa.

Gloria, naturalmente, era de las que se ponen a deambular[48] sin rumbo fijo. Para su edad, era una niña extraordinariamente decidida y curiosa. Había visto un enorme letrero en la tercera planta que decía: «Al Robot Parlante».[49] Tras leerlo y observar que sus padres no parecían tener intención de ir en la dirección adecuada, hizo lo que era de suponer: esperó el oportuno momento de distracción paterna, se soltó de la mano disimuladamente, y siguió la dirección que indicaba el letrero.

El Robot Parlante era un artefacto muy poco práctico, de valor meramente publicitario. Cada hora, un grupo guiado se detenía ante él y susurraba unas cuantas preguntas al técnico encargado. El encargado transmitía al Robot Parlante las que juzgaba que se adecuaban a los circuitos de éste.

Era bastante aburrido. Estaba muy bien saber que el cuadrado de catorce era ciento noventa y seis, que la temperatura del momento era de 22 grados, que la presión atmosférica equivalía a 762 mm de mercurio y que el peso atómico del sodio era 23, pero para eso no se necesitaba de ningún robot. Sobre todo, no se necesitaba aquel lío de cables y tubos que ocupaba una superficie de veinte metros cuadrados.

Poca gente se molestaba en interrogarlo dos veces. Pero en uno de los bancos había sentada una niña de unos cator-

48 **deambular**: ir de un lado a otro.
49 **parlante**: que habla.

ce o quince años que esperaba para hacerle una pregunta más. Era la única en la sala cuando entró Gloria.

Gloria no la miró. Para ella, en ese momento, la presencia de otro ser humano era algo insignificante. Dedicaba toda su atención a este objeto voluminoso con ruedas. Por un momento, vaciló, algo desalentada,[50] pues no se parecía a ninguno de los robots que había visto.

Cautelosa, insegura, alzó su voz aguda:

—Por favor, señor Robot, ¿es usted el Robot Parlante?

No estaba segura, pero pensó que a un robot que hablaba había que tratarlo con mucha cortesía.

Se oyó un zumbido aceitoso de engranajes, y una voz de timbre metálico dijo retumbante con palabras que carecían de acento y entonación:

—Yo-soy-el-robot-que-habla.

Gloria se quedó mirándolo con tristeza. Hablaba, pero el sonido provenía de algún lugar de su interior. No tenía una cara a la que dirigirse.

—¿Podría ayudarme, señor Robot, por favor? —preguntó.

---

50 **desalentada**: desanimada.

El Robot Parlante estaba concebido para que respondiera a preguntas, aunque sólo debían hacérsele aquellas que podía contestar. Así que tenía plena confianza en su capacidad.

—Yo-puedo-ayudarte —dijo.

—Gracias, señor Robot. ¿Ha visto a Robbie?

—¿Quién-es-Robbie?

—Es un robot, señor Robot —y se puso de puntillas—. Así de alto, pero mucho más; y es muy simpático. Tiene cabeza, ¿sabe, señor Robot? Quiero decir que usted, con perdón, no tiene; pero él sí.

El Robot Parlante ya no la seguía bien:

—¿Un-robot?

—Sí, señor Robot. Un robot como usted, salvo que no puede hablar, naturalmente, y parece una persona de verdad.

—¿Un-robot-como-yo?

—Sí, señor Robot.

La única respuesta a esto del Robot Parlante fue un crepitar errático[51] y un sonido extraño e intermitente. La generalización radical que se le proporcionaba, es decir, su existencia, no como un objeto particular, sino como miembro de un grupo genérico, el de los robots, fue demasiado para él. Intentó asimilar obedientemente el concepto, y se le quemaron media docena de bobinas. Empezaron a zumbar pequeñas señales de alarma.

Estaba esperando Gloria la respuesta de la máquina, procurando disimular su impaciencia, cuando oyó el grito de su madre.

---

51 **crepitar**: dar chasquidos al arder; **errático:** que sale de distintos sitios.

—¿Qué haces aquí, niña mala? —exclamó la señora Weston, mudándosele al instante toda su ansiedad en enfado—. ¿Te das cuenta del susto mortal que has dado a papá y a mamá? ¿Por qué te has escapado?

El encargado del robot había entrado a toda prisa también, muy nervioso y preguntando quién de todos ellos había estado manipulando la máquina.

—¿No saben leer los letreros? —gritó—. No se permite estar aquí sin acompañante.

Gloria alzó su vocecita apenada por encima de la gritería de la madre y del encargado:

—Sólo he venido a ver al Robot Parlante, mamá. Pensaba que a lo mejor él sabía dónde estaba Robbie porque es robot también —y entonces, al venirle el súbito recuerdo de Robbie, se echó a llorar—. Tengo que encontrar a Robbie, mamá. Lo tengo que encontrar.

La señora Weston ahogó un grito, y dijo:

—¡Ay, Dios mío! Vámonos a casa, George. Esto es más de lo que puedo soportar.

Esa noche se ausentó George Weston durante unas horas, y a la mañana siguiente habló con su mujer con una expresión sospechosamente semejante a una satisfecha complacencia.

—Se me ha ocurrido una idea, Grace.

—¿Sobre qué? —fue la fría e indiferente pregunta.

—Sobre Gloria.

—¿No irás a proponerme que volvamos a comprarle el dicho robot?

—No, claro que no.

—Entonces adelante. No tengo inconveniente en escuchar tu idea. No parece que haya servido de mucho todo lo que he hecho.

—Bien, pues he pensado lo siguiente: el problema con Gloria es que piensa en Robbie como si se tratase de una persona y no de una máquina. Naturalmente, no puede olvidarlo. Ahora bien, si logramos convencerla de que Robbie no era más que un armatoste de acero y cobre construido con láminas y alambres, y que sus jugos vitales eran electricidad, ¿cuánto le durará su añoranza? Mi idea es atacar el problema desde el punto de vista psicológico, ¿entiendes?

—¿Y qué propones que hagamos?

—Muy sencillo. ¿Adónde imaginas que me fui anoche? A convencer a Robertson, de la empresa U.S. Robots & Mechanical Men Inc., de que nos organice mañana una visita completa a sus instalaciones. Iremos nosotros tres. Cuando termine la visita, Gloria habrá comprendido que un robot no es un ser vivo.

A la señora Weston se le iban abriendo cada vez más los ojos, y brilló en ellos algo así como una repentina admiración por su marido.

—Vaya, George; ésa sí que es una buena idea.

Y los botones del chaleco de George Weston se tensaron al hinchársele el pecho de orgullo.

—Tengo muchas —dijo.

El señor Struthers era un Director General concienzudo, y por tanto un poco charlatán. Así que la sugerencia se materializó en una visita explicada (quizá incluso excesivamente explicada) paso a paso. Sin embargo, la señora Weston no se aburrió. Es más, incluso lo interrumpió varias veces para pedirle que repitiese la explicación en un lenguaje más sencillo a fin de que Gloria lo comprendiese. Estimulado por esta apreciación de sus poderes narrativos, el señor Struthers desplegó su cordialidad y se fue volviendo cada vez más comunicativo, si es que eso era posible.

El propio George Weston dio muestras de impaciencia.

—Perdone, Struthers —dijo interviniendo en mitad de un discurso sobre la célula fotoeléctrica—, ¿no hay en su fábrica una sección donde sólo trabajan robots?

—¿Eh? ¡Ah, sí, claro! ¡Naturalmente! —y sonrió a la señora Weston—. Un círculo vicioso en cierto modo: los robots creando robots. No se trata de una práctica generalizada, por supuesto. En primer lugar, los sindicatos de trabajadores no nos dejarían porque muchas personas perderían el empleo. Pero podemos producir algún que otro robot utilizando exclusivamente mano de obra de robot a manera de experimento científico. Mire —se dio unos golpecitos con los lentes en la palma de la mano para reforzar sus palabras—, de lo que no se dan cuenta los sindicatos, y se lo digo como hombre que ha sido siempre comprensivo con el movimiento obrero en general, es de que la aparición del robot, si bien implica cierto desajuste inicial, inevitablemente...

—Sí, Struthers —dijo Weston—, pero ¿podríamos ver esa sección de la fábrica que dice? Estoy seguro de que sería muy interesante.

—¡Sí, sí! ¡Naturalmente! —el señor Struthers volvió a colocarse los lentes con un movimiento convulsivo,[52] desaho-

52 **convulsivo**: con una contracción, rápidamente.

gando una blanda tosecita de desconcierto—. Síganme, por favor.

Estuvo relativamente callado mientras guiaba a los tres por un largo pasillo y bajaban un tramo de escaleras. Luego, al entrar en una sala amplia y bien iluminada en la que reinaba un zumbido de actividad metálica, abrió las compuertas y volvió a dar rienda suelta a su torrente de explicaciones.

—¡Ahí lo tienen! —dijo con un tono de orgullo en la voz—. ¡Sólo robots! Hay cinco supervisores,[53] pero ni siquiera están en la sala. En cinco años, desde que empezamos este proyecto, no ha habido el más pequeño accidente. Desde luego, los robots que se montan aquí son relativamente sencillos, pero…

Hacía rato que la voz del Director General se había apagado en una especie de murmullo para los oídos de Gloria. La visita entera parecía bastante aburrida e insustancial para ella, aunque había muchos robots a la vista. Pero ninguno se parecía ni en lo más remoto a Robbie, así que los miraba con manifiesto desprecio.

Observó que en esta sala no había trabajadores. Entonces sus ojos repararon en seis o siete robots ocupados afanosamente[54] en torno a una mesa redonda que había en el centro de la sala. Los ojos se le agrandaron de repente con incrédula[55] sorpresa. La sala era enorme. Gloria no alcanzaba a ver bien del todo, pero uno de los robots se parecía a… Se parecía a… ¡era él!

---

53 **supervisor**: el que controla que las cosas se hacen bien.
54 **afanosamente**: con mucho esfuerzo y dedicación.
55 **incrédula**: que no se lo cree.

—¡Robbie! —su grito traspasó el aire, y uno de los robots que había junto a la mesa titubeó,[56] y soltó la herramienta que sujetaba. Gloria casi se volvió loca de alegría. Se coló entre los barrotes de la barandilla antes de que su padre o su madre pudiesen detenerla, saltó ágilmente al piso, medio metro más abajo, y echó a correr hacia su Robbie con los brazos abiertos y el cabello flotando detrás.

Y los tres adultos vieron con horror algo que la excitada niña no vio: un pesado tractor de transporte se acercaba ciegamente por su carril fijo.

Weston tardó unos segundos en reaccionar, y esos segundos fueron decisivos, porque le impidieron alcanzar a Gloria. Aunque Weston saltó la barandilla en un intento desesperado, fue evidentemente inútil. El señor Struthers hizo señas desesperadas a los supervisores para que detuviesen el tractor, pero los supervisores eran sólo hombres y necesitaban tiempo para reaccionar.

Fue Robbie el que actuó instantáneamente y con precisión. Salió disparado desde el otro extremo, salvando con sus piernas metálicas el trecho entre él y su pequeña ama. Todo sucedió en un instante. Robbie agarró a Gloria con un movimiento de brazo sin disminuir una pizca su velocidad, haciendo que perdiera el aliento. Weston, que no acababa de entender lo que estaba ocurriendo, sintió (más que vio) pasar a Robbie junto a él y, desconcertado, se detuvo en seco. El tractor cruzó la trayectoria de Gloria medio segundo después que Robbie rescatara a la niña, avanzó tres metros más y se paró con un frenazo largo y chirriante.[57]

---

56 **titubeó**: dudó, vaciló.

57 **chirriante**: ruido agudo y molesto.

Gloria recobró el aliento, se sometió a una serie de apasionados abrazos de sus padres, y se volvió ansiosa hacia Robbie. Por lo que a ella se refería, no había pasado nada, salvo que había encontrado a su amigo.

Pero la expresión de alivio de la señora Weston había dado paso a otra de oscura sospecha. Se volvió hacia su marido; y a pesar de que estaba despeinada y de que presentaba un aspecto poco digno, consiguió parecer bastante temible.

—Has sido tú el que ha planeado esto, ¿verdad?

George Weston se pasó el pañuelo por su frente sudorosa. Le temblaba la mano, y sus labios sólo consiguieron curvarse en una trémula y pálida sonrisa.

La señora Weston continuó:

—Robbie no está concebido para el trabajo de ingeniería o de construcción, de manera que no tenía ninguna aplicación aquí. Lo habéis traído adrede para que Gloria se lo encontrase al llegar, ¿verdad?

—Bueno, sí —dijo Weston—. Pero, Grace, ¿cómo iba yo a saber que

el reencuentro iba a resultar tan accidentado? Y Robbie le ha salvado la vida; eso tienes que reconocerlo. No puedes echarlo otra vez.

Grace Weston reflexionó. Se volvió hacia Gloria y Robbie, y los observó abstraída un momento. Gloria se agarraba al cuello del robot con tanta fuerza que habría asfixiado a cualquier criatura que no fuera de metal; y no paraba de decir tonterías con una exaltación[58] medio histérica. Los fuertes y poderosos brazos de acerocromo de Robbie (capaces de convertir una barra de acero de cinco centímetros de diámetro en una galleta) se curvaron tiernamente alrededor de la niña, y sus ojos se encendieron de un rojo intenso, muy intenso.

—Bueno —dijo la señora Weston finalmente—; creo que puede seguir con nosotros hasta que se oxide.

---

58 **exaltación**: entusiasmo.

Sally

Sally venía por la carretera del lago, así que la saludé con la mano y la llamé por su nombre. Siempre me gustaba ver a Sally. Me gustaban todos, por supuesto; pero Sally era la más bonita del grupo. De eso no había la menor duda.

En respuesta a mi saludo, aceleró un poquitín. Sin perder la compostura. Sally no la perdía nunca. Aceleró sólo lo suficiente para mostrar que se alegraba de verme, nada más.

Me volví hacia el hombre que había a mi lado.

—Es Sally —dije.

El hombre me sonrió y asintió con la cabeza.

Lo había hecho pasar la señora Hester, y me lo presentó:

—Es el señor Gellhorn, Jake. Recordará que le escribió pidiéndole una entrevista.

Lo decía por decir, pues ella sabía que no lo recordaría. Tengo miles de cosas que hacer en la granja, y no puedo perder tiempo con la correspondencia. Por eso tengo conmigo a la señora Hester. Vive bastante cerca, me resulta muy útil para solucionar estas tontadas sin necesidad de molestarme, y, lo que es más importante, le gustan Sally y el resto del grupo. Hay gente a la que no les gustan.

—Encantado de saludarlo, señor Gellhorn —dije.

—Me llamo Raymond J. Gellhorn —dijo, y me dio la mano y se la estreché.

Era un individuo largo, media cabeza más alto que yo, y más corpulento también. Tenía como la mitad de mi edad, unos treinta y tantos años. Tenía el pelo negro y liso, peinado con raya en medio y con laca, y un bigote fino y muy cuidado. De orejas para abajo se le pronunciaba una gran mandíbula, de manera que parecía tener algo de paperas.[1] En televisión habría sido natural que representase el papel de malo, así que supuse que era buena persona. Pero la televisión no siempre se equivoca...

—Soy Jacob Folkers —dije—. ¿En qué puedo servirle?

Desplegó una ancha sonrisa en la que mostró unos dientes blancos.

—Quisiera que me hablase un poco de la granja que dirige aquí, si no tiene inconveniente.

Oí acercarse a Sally por detrás de mí y alargué la mano. Avanzó hasta tocarme y noté cálido el esmalte duro y brillante de su guardabarros en la palma de la mano.

—Un automóvil precioso —dijo Gellhorn.

Era una forma muy simple de decirlo. Sally era un descapotable del año 2045, con motor positrónico Hennis-Car-

1 **paperas**: abultamiento de la zona alta del cuello.

leton y chasis Armat. Tenía las líneas más puras y admirables que haya visto yo en ningún modelo sin excepción. Era mi coche favorito desde hacía cinco años, y le había instalado todo cuanto se me ocurrió. En todo ese tiempo no se había puesto absolutamente nadie a su volante.

Ni una sola vez.

—Sally —dije, dándole una palmadita—, te presento al señor Gellhorn.

El ronroneo de los cilindros del motor se elevó un poco. Presté atención, a ver si sonaba algún golpeteo extraño. Últimamente venía oyendo golpeteos de motor en casi todos los coches, y el cambio del tipo de gasolina no había supuesto la más mínima mejora. Esta vez, no obstante, el motor de Sally tenía la misma suavidad que su pintura.

—¿Les pone nombre a todos los coches? —preguntó Gellhorn.

Su tono sonó divertido, y a la señora Hester no le gusta la gente que habla como burlándose de la granja, de modo que dijo con sequedad:

—Por supuesto. Los coches tienen auténtica personalidad, ¿verdad, Jake? Los sedanes[2] son masculinos y los descapotables femeninos.

Gellhorn volvió a sonreír:

—¿Y los guarda en garajes separados, señora?

La señora Hester le lanzó una mirada furibunda.[3]

—Y ahora, señor Folkers —añadió Gellhorn, dirigiéndose a mí—, ¿podría hablar con usted a solas?

---

2 **sedán**: modelo de coche no descapotable, esto es, el más corriente.

3 **furibunda**: llena de ira, irritada.

—Depende —dije—. ¿Es usted periodista?

—No, señor. Soy agente de ventas. No se va a publicar nada de lo que hablemos usted y yo. Me interesa que sea estrictamente confidencial,[4] se lo aseguro.

—Vamos a dar un pequeño paseo por la pista. Hay un banco donde podremos sentarnos.

Echamos a andar. La señora Hester se alejó. Sally nos siguió a escasa distancia.

—¿Le importa que nos acompañe Sally? —dije.

—En absoluto. No puede contar a nadie nada de lo que hablemos, ¿verdad? —se rió de su propio chiste, alargó la mano y frotó la rejilla de Sally.

Sally dio un acelerón y Gellhorn retiró instintivamente la mano.

—No está acostumbrada a tratar con desconocidos —expliqué.

Nos sentamos en el banco bajo un gran roble desde donde podíamos contemplar, al otro lado del pequeño lago, nuestra pista de carreras particular. Era el momento más animado del día, y los coches se encontraban ya en la pista; al menos treinta de ellos. Incluso desde donde estábamos podía ver que Jeremías se dedicaba a su 'hazaña' habitual de ir agazapado[5] detrás de un modelo más viejo, acelerar de repente y adelantarlo aullando con un deliberado chirrido de frenos. Dos semanas antes, practicando ese mismo juego, había echado al viejo Angus fuera del asfalto, y lo castigué dejándole el motor desconectado dos días.

---

4 **confidencial**: secreto.
5 **agazapado**: agachado para que no lo vean.

Pero me temo que no sirvió de nada. Parece que la cosa no tiene remedio. Para empezar, Jeremías es un modelo deportivo, o sea un tipo de coche tremendamente impulsivo.

—Bueno, señor Gellhorn —dije—. ¿Puedo saber para qué quiere esa información?

Pero estaba distraído mirando a su alrededor.

—Este lugar es sorprendente, señor Folkers —dijo.

—Llámeme Jake, por favor. Todo el mundo me llama Jake.

—De acuerdo, Jake. ¿Cuántos coches tiene aquí?

—Cincuenta y uno. Cada año llegan uno o dos nuevos. Una vez recibimos cinco. Aún no hemos perdido ninguno. Todos están en perfectas condiciones. Incluso tenemos un modelo del 2015, Mat-O-Mot, todavía en funcionamiento: uno de los primeros coches automáticos. Es el primero que tuvimos aquí.

El bueno de Matthew era un anciano ya. Ahora se pasaba la mayor parte del día en el garaje, pero es que era el abuelito de los de motor positrónico. En sus tiempos, los únicos que conducían coches automáticos eran los veteranos de guerra ciegos, los parapléjicos[6] y los jefes de estado. Pero yo estaba al servicio del señor Samson Harridge, que era lo bastante rico como para permitirse tener uno. Yo era su chófer en aquel entonces.

Los recuerdos hacen que me sienta viejo. Me acuerdo de cuando no había ni un mal automóvil en el mundo con inteligencia suficiente para volver por sí solo a su casa. He conducido montones de coches que necesitaban a cada instante

6 **parapléjico**: paralítico de la mitad inferior del cuerpo.

la mano del hombre en sus mandos. Esos trastos solían matar anualmente a decenas de miles de personas.

Los automáticos resolvieron ese problema. Naturalmente, el cerebro positrónico es capaz de reaccionar mucho más deprisa que el humano, lo que permitió que la gente se desentendiera de los mandos. Subías, tecleabas tu destino, y dejabas que el coche hiciera lo demás.

Hoy todo eso nos parece natural, pero recuerdo cuando apareció la primera normativa que obligaba a retirar de las carreteras los viejos automóviles y sólo permitía la circulación a los automáticos. Dios mío, la que se armó. Lo llamaron de todo, desde comunismo hasta fascismo. Pero descongestionó[7] las carreteras, acabó con las muertes por accidente de tráfico, y aumentó el número de personas que podía viajar de esta nueva manera.

Naturalmente, los automáticos eran de diez a cien veces más caros que los manuales, y no había tantos como para que un particular se permitiese comprar uno. La industria se especializó en la producción de autobuses automáticos. Siempre podías llamar a una empresa de autobuses, pedir que parase uno en tu puerta en cuestión de minutos, y te llevaba a donde tú quisieras. Normalmente tenías que hacer el trayecto con otros viajeros que llevaban el mismo itinerario, pero ¿qué tenía eso de malo?

Sin embargo, el señor Samson Harridge se compró un coche particular. Fui a hablar con él en cuanto lo recibió. El coche no era entonces Matthew para mí. No sabía que más tarde se iba a convertir en el miembro más antiguo de la

---

7 **descongestionó**: consiguió que hubiera menos coches.

granja. Yo sólo sabía que me iba a dejar sin trabajo, y lo odiaba por eso.

—No va usted a necesitarme más, ¿verdad, señor Harridge? —le dije.

—¿De qué tiene miedo, Jake? —contestó—. No creerá que me voy a fiar de un trasto así, ¿verdad? Usted seguirá al volante.

—Pero si funciona por sí solo, señor Harridge —dije—. Explora la calzada, reacciona con exactitud ante los obstáculos, los seres humanos y los otros coches, y memoriza los trayectos.

—Eso dicen, eso dicen. De todas maneras, usted irá sentado al volante por si acaso.

Es sorprendente lo que se puede querer a un coche. Poco después le puse el nombre de Matthew, y me pasaba el tiempo sacándole brillo y vigilando su puesta a punto. Un cerebro positrónico se mantiene en condiciones óptimas[9] cuando tiene en todo momento el control del chasis; lo que quiere decir que vale la pena mantener el depósito de combustible lleno para que el motor pueda estar al ralentí[10] día y noche. Al cabo de un tiempo, sabía cómo se encontraba Matthew por el ruido de su motor.

Harridge, por su parte, acabó cobrándole afecto también. No tenía a nadie más a quien querer. Se había divorciado de tres esposas, y había sobrevivido a cinco hijos y tres nietos. Así que cuando el señor Harridge murió, quizá no fue una sorpresa que mandara convertir su propiedad en una

9 **óptimas**: muy buenas, excelentes.

10 **ralentí**: funcionamiento del motor cuando no se acelera, con el coche parado.

granja para automóviles jubilados, conmigo al frente y Matthew como primer miembro de un linaje[11] distinguido.

La granja es ahora toda mi vida. Nunca me he casado. Uno no puede estar casado y ocuparse de los automáticos como es debido.

Los periódicos lo consideraron una extravagancia;[12] pero pasado un tiempo dejaron de hacer chistes al respecto. Hay cosas con las que no se debe bromear. Quizá no habéis tenido nunca la posibilidad de comprar un automático, ni puede que la lleguéis a tener en la vida; pero creedme: acabaríais enamorándoos de él. Son incansables y cariñosos. Haría falta no tener corazón para maltratar a uno de ellos, o para presenciar impasibles[13] cómo lo maltratan.

Tanto es así que cuando alguien posee un automático adopta las medidas necesarias para que lo alberguemos[14] en la granja cuando se jubile, si no tiene un heredero de confianza a quien encomendar sus cuidados.

Se lo expliqué a Gellhorn.

—¡Cincuenta y un coches! —dijo—. Eso representa una fortuna.

—Cincuenta mil dólares cada uno como mínimo, de acuerdo con el precio original —dije—. Ahora valen mucho más, pues los mejoramos de continuo.

—Debe de costar un dineral mantener la granja.

—Eso es verdad. La granja es una organización sin beneficios económicos que, por tanto, nos supone una desgrava-

11 **linaje**: familia.
12 **extravagancia**: algo raro, que llama la atención.
13 **impasibles**: tranquilos, sin alterarnos.
14 **alberguemos**: alojemos, acojamos.

ción en los impuestos;[15] y desde luego, los automáticos que ingresan vienen normalmente con una cantidad de dinero que los antiguos propietarios entregan junto con el coche. De todos modos, los costes suben continuamente. Tengo que mantener el lugar ajardinado; tengo que estar asfaltando y repasando los automáticos viejos sin parar. Luego está el combustible, el aceite, las reparaciones y la instalación de innovaciones en ellos. Todo eso significa dinero.

—¿Y lleva mucho tiempo en esto?

—Ya lo creo, señor Gellhorn. Treinta y tres años.

—No parece que saque mucho de esto.

—¿Que no? Me sorprende, señor Gellhorn. Tengo a Sally y a cincuenta como ella. Mírela.

Sonreí. No pude evitarlo. Sally estaba tan impecable[16] que casi dañaba la vista. Debió de aplastarse algún insecto contra su parabrisas, o pegársele alguna mota de polvo; el caso es que se puso a trabajar: un tubito emergió del chasis y derramó sobre el cristal Tergosol,[17] que se extendió sobre la película de silicona de la superficie; instantáneamente, con un chasquido, se colocó en posición la escobilla, y escurrió el agua hacia abajo, expulsándola por un canalillo al suelo, donde cayó goteando. Ni una sola gota salpicó su brillante capó verde manzana. Con un chasquido, la escobilla y el tubo de detergente volvieron a su sitio y desaparecieron.

—En mi vida había visto hacer eso a un automático —dijo Gellhorn.

---

15 Es decir, que sirve para rebajar (*desgravar*) la cantidad de dinero que se paga al Estado (*impuestos*).

16 **impecable**: sin ninguna mancha.

17 **Tergosol**: marca de detergente o limpiacristales.

—Supongo que no —dije—. Eso lo he instalado yo especialmente en nuestros coches. Son muy aseados. Se están siempre lavando los cristales. Les gusta. A Sally le he instalado incluso aspersores[18] de cera. Se encera ella misma todas las noches, de manera que uno podría mirarse la cara y hasta afeitarse en su carrocería. Si consiguiera más dinero, lo invertiría[19] en el resto de las chicas. Las descapotables son muy vanidosas.

—Yo puedo decirle cómo sacar dinero, si le interesa.

—Eso siempre me interesa. ¿Cómo?

—¿Aún no se ha dado cuenta, Jake? Usted ha dicho que cualquiera de sus coches vale cincuenta mil como mínimo. Seguro que la mayoría superan las siete cifras.

—¿Y bien?

—¿No ha pensado nunca vender unos cuantos?

Negué con la cabeza.

—Supongo que no lo entiende, señor Gellhorn: no puedo vender ninguno. Son de la granja, no míos.

—El dinero iría a parar a la granja.

—Los documentos de fundación de la granja establecen que los coches han de recibir cuidados a perpetuidad.[20] No pueden venderse.

—¿Y qué me dice de los motores?

—No le comprendo.

Gellhorn cambió de postura, y su voz se volvió confidencial:

—Vamos a ver, Jake, permítame que le explique la situa-

---

18 **aspersor**: aparato que echa un líquido en forma de gotas.
19 **invertiría**: gastaría.
20 **a perpetuidad**: para siempre.

ción: hay una gran demanda[21] de automáticos particulares, siempre que tengan un precio razonable. ¿No es verdad?

—No es ningún secreto.

—Y el noventa y cinco por ciento del precio se debe al motor. ¿No es así? Ahora bien, yo sé dónde podemos abastecernos[22] de carrocerías. Y también sé dónde podemos vender automáticos a buen precio... de veinte a treinta mil dólares los modelos más baratos, de cincuenta a sesenta mil los mejores, tal vez. Lo único que necesitamos son los motores. ¿Sabe ahora adónde voy a parar?

—No, señor Gellhorn.

Lo sabía de sobra, pero quería que lo dijera él.

—Es muy sencillo. Tiene cincuenta y uno. Usted es experto en mecánica del automóvil, Jake. Eso está claro. Puede sacarle el motor a un coche y ponérselo a otro sin que nadie se dé cuenta del cambio.

—Lo cual no sería precisamente un acto de honradez.

—No ocasionaría ningún daño a los coches. Les estaría haciendo un favor. Utilice los más viejos. Utilice ese viejo Mat-O-Mot al que llama Matthew.

—Vamos a ver, espere un momento, señor Gellhorn. Los motores y las carrocerías no son cosas independientes. Forman una unidad. Esos motores están acostumbrados a sus propias carrocerías. No serían felices en otro coche.

—Muy bien, ése es un aspecto del asunto. Un aspecto muy importante del asunto, Jake. Sería como coger su propio cerebro y acoplarlo al cráneo de otro. ¿No es así? ¿Y no cree que le gustaría?

---

21 **demanda**: interés por comprar.

22 **abastecernos**: conseguir.

—No. No creo que me gustara.

—Pero ¿y si cojo su cerebro y lo instalo en el cuerpo de un joven atleta? ¿Qué le parecería? Usted ya no es un jovencito. Si tuviera esa posibilidad, ¿no se alegraría de volver a tener veinte años? Eso es lo que estoy ofreciendo a algunos de sus motores positrónicos. Serán acoplados a carrocerías nuevas del 57. De la más reciente construcción.

Me eché a reír.

—Eso no tiene mucho sentido, señor Gellhorn. Puede que algunos de nuestros coches sean viejos, pero están muy bien cuidados. No los conduce nadie. Se les deja ir a su aire. Son jubilados, señor Gellhorn. Yo no querría un cuerpo de veinte años si eso significara tener que picar piedra el resto de mi vida y no tener nunca suficiente para comer... ¿Tú qué dices, Sally?

Sally abrió las dos puertas y las cerró con un golpe acolchado.

—¿Qué ha sido eso? —dijo Gellhorn.

—Es la manera de reírse Sally.

Gellhorn forzó una sonrisa. Creo que pensó que era una broma.

—Piense con lógica, Jake —dijo—. Los coches se hacen para que sean conducidos. Probablemente no son felices si no se los conduce.

—A Sally hace cinco años que no la conduce nadie. Y me parece que es bastante feliz.

—Lo dudo.

Se levantó y se dirigió despacio a Sally.

—Hola, Sally, ¿te gustaría dar un paseo?

El motor de Sally aceleró. Dio marcha atrás.

—No se acerque demasiado, señor Gellhorn —le advertí—. Creo que es algo asustadiza.

En la pista, a un centenar de metros, había dos sedanes. Se habían detenido. Quizá, a su manera, estaban observando. No les presté atención. Todo mi interés se centraba en Sally, de la que no apartaba los ojos.

—Tranquilízate, Sally —dijo Gellhorn; alargó la mano y agarró la manivela de la puerta. Naturalmente, no se movió lo más mínimo.

—Hace un momento se ha abierto —dijo Gellhorn.

—Es una cerradura automática. Sally tiene un gran sentido de la intimidad —dije.

Gellhorn soltó la manivela lenta, cautamente:[23]

—Un coche con sentido de la intimidad no debería ir con la capota bajada.

Gellhorn retrocedió tres o cuatro pasos; luego, con un impulso tan rápido que no me dio tiempo a detenerlo, echó a correr y saltó al interior del coche. Cogió a Sally completamente desprevenida, porque tan pronto como estuvo dentro quitó la llave de contacto antes de que ella pudiera bloquearla.

Por primera vez en cinco años, el motor de Sally se paró.

Me parece que grité; pero Gellhorn pasó el interruptor a «Manual» y lo bloqueó en esa posición. A continuación puso el motor en marcha. Sally volvió a la vida; pero ahora no tenía libertad de acción.

Gellhorn, conduciendo a Sally, se dirigió hacia la pista. Los sedanes estaban aún allí. Giraron y se alejaron no muy

---

23 **cautamente**: con cuidado y sin que el otro se entere.

deprisa. Supongo que estaban perplejos.[24] Uno de ellos era Giusseppe, fabricado en Milán; el otro era Steve. Siempre iban juntos. Los dos eran nuevos en la granja, pero llevaban aquí lo bastante como para saber que nuestros coches no tenían conductor.

Gellhorn siguió en línea recta, y cuando finalmente comprendieron los sedanes que Sally no iba a reducir su velocidad, que no podía aminorar, fue demasiado tarde salvo para tomar una determinación desesperada.

Se apartaron, cada uno hacia un lado, y Sally pasó por en medio como una bala. Steve embistió la valla del lago, la atravesó, y siguió circulando hasta detenerse en la yerba y el barro a menos de quince centímetros del agua. Giusseppe fue dando tumbos por la tierra que bordeaba la pista hasta que se detuvo con una sacudida.

Hice sacar a Steve a la pista otra vez; y estaba comprobando si la valla le había causado algún desperfecto, cuando regresó Gellhorn.

Abrió la puerta de Sally y se apeó. Se inclinó hacia atrás y cerró el contacto por segunda vez.

—Bien —dijo—. Creo que le he hecho un gran favor.

Contuve mi enojo.

—¿Por qué se ha lanzado entre los sedanes? No tenía ninguna necesidad.

—Confiaba en que se apartarían.

—Lo han hecho. Pero uno ha chocado contra la valla.

—Lo siento, Jake —dijo—. Creí que lo harían más deprisa, compréndalo. He ido en montones de automatobuses, pe-

---

24 **perplejos**: muy sorprendidos y sin saber qué hacer.

ro sólo he subido dos o tres veces en automáticos particulares, y ésta es la primera que conduzco uno. Aquí tiene la prueba, Jake. Me ha cautivado, y eso que soy bastante duro. Insisto, no tenemos más que poner los precios un veinte por ciento más bajos que los actuales para conseguir una buena posición en el mercado; y podemos sacar un noventa por ciento de beneficios.

—¿A cómo iríamos?

—Al cincuenta por ciento. Yo asumiría todos los riesgos, téngalo en cuenta.

—Está bien. Ya le he escuchado. Ahora me escuchará usted —alcé la voz porque estaba demasiado furioso para mostrarme cortés—: cuando el motor de Sally se para, le hace daño. ¿Le gustaría que le dieran un golpe y le dejaran inconsciente? Pues eso es lo que le pasa a Sally cuando le paran el motor.

—Está exagerando, Jake. A los automatobuses se los para todas las noches.

—Claro, por eso no quiero que disfrace a ninguno de mis chicos o chicas en carrocerías del 57, donde no sabría qué trato iban a recibir. Cada dos años, los automatobuses necesitan reparaciones de envergadura[25] en sus circuitos positrónicos. Al viejo Matthew no le han tocado los circuitos desde hace veinte años. ¿Qué puede ofrecerle comparable a eso?

—Bueno, ahora está usted nervioso. Piense en la proposición que le hago cuando esté más calmado, y llámeme.

—Ya lo he pensado de sobra. Como vuelva por aquí, llamo a la policía.

Apretó la boca en una fea mueca.

—Aguarde un momento, vejestorio...[26] —dijo.

—Aguarde un momento usted —dije—: esto es propiedad particular y le ordeno que se vaya.

Se encogió de hombros, y dijo:

—Bien; entonces adiós.

—La señora Hester lo acompañará hasta la salida. Y que sea para siempre —dije.

Pero no fue para siempre. Dos días más tarde volví a verlo. Dos días y medio, para ser exactos, porque la primera vez fue hacia las doce del mediodía, y la segunda pasaba un poco de las doce de la noche.

Me incorporé en la cama cuando encendió la luz, parpadeando deslumbrado, hasta que tuve conciencia de lo que estaba ocurriendo. Una vez que pude ver, no me costó mu-

---

25 **de envergadura**: muy importantes.
26 **vejestorio**: persona muy vieja (la palabra es despreciativa).

cho entender la situación. En realidad, no me costó nada. Gellhorn tenía un arma en la mano derecha: la punta del cañón asomaba entre dos de sus dedos. No tenía más que aumentar la presión de la mano, y me haría trizas.

—Vístase, Jake —dijo.

No me moví. Me quedé mirándolo.

—Escuche, Jake —dijo—, conozco estas instalaciones. Vine a visitarlo hace dos días, recuerde. Sé que no hay vigilantes aquí, ni cercas electrificadas, ni aparatos de alarma. Nada.

—No necesito nada de eso —dije—. Así que no hay nada que le impida marcharse, señor Gellhorn. Yo en su lugar me iría ahora mismo. Este sitio puede resultar muy peligroso.

Rió brevemente.

—Lo es, para el que está delante de un arma.

—Entiendo —dije—. Ya he visto que tiene una.

—Entonces andando. Mis hombres esperan.

—No, señor Gellhorn. A menos que me diga qué quiere; y probablemente, ni siquiera entonces.

—Anteayer le hice una proposición.

—La respuesta sigue siendo no.

—Ahora hay novedades que añadir. He venido aquí con algunos hombres y un automatobús. Tiene usted la posibilidad de venir conmigo y desmontar veinticinco motores positrónicos. Me da igual los que elija. Los cargaremos en el automatobús y nos los llevaremos. En cuanto los hayamos vendido, me ocuparé de que reciba su parte correspondiente del dinero.

—Supongo que tengo su palabra de que me entregará mi parte.

Reacción como si no le hablase con ironía.[27]

—La tiene —dijo.

—No me interesa —dije.

—Si insiste en negarse, lo haremos a nuestra manera. Desmontaré yo mismo los motores; sólo que desmontaré los cincuenta y uno. O sea todos.

—No es fácil desmontar un motor positrónico, señor Gellhorn. ¿Es usted experto en robótica? Y aunque lo sea, sepa que he modificado esos motores.

—Lo sé, Jake. Y para ser sincero, no soy experto. Puede que estropee unos cuantos al intentar sacarlos. Por eso tendré que manipular los cincuenta y uno si no coopera. Al terminar, puede que sólo haya conseguido sacar veinticinco. Los primeros que manipule son los que probablemente sufrirán más. Hasta que le coja el truco. Y si me encargo de hacerlo yo, creo que voy a empezar por Sally.

—No hablará en serio, señor Gelhorn —dije.

—Muy en serio, Jake —dijo y dejó caer una a una las palabras—: Si me ayuda, podrá conservar a Sally. Si no, probablemente saldrá malparada. Lo siento.

—Iré con usted —dije—; pero se lo advierto otra vez, señor Gellhorn. Se va a meter en un lío.

Pero mi advertencia le pareció divertida. Iba riendo por lo bajo mientras bajábamos juntos la escalera.

Fuera, en la entrada al garaje, había un automatobús esperando. Junto a él estaban las sombras de tres hombres, y los haces[28] de sus linternas se pusieron en movimiento al acercarnos.

---

27 **ironía**: decir algo con la intención de que se entienda lo contrario.

28 **haces**: conjunto de rayos de luz.

—Traigo al viejo —dijo Gellhorn en voz baja—. Venga. Llevad allá el automatobús y empecemos.

Uno de los otros se asomó al interior y tecleó las instrucciones oportunas en el salpicadero. Subimos por el camino de la entrada, con el automatobús siguiéndonos sumisamente.[29]

—No entrará en el garaje —dije—. No cabe por la puerta. Aquí no tenemos automatobuses. Sólo coches particulares.

—De acuerdo —dijo Gellhorn—. Llevadlo hasta el césped y aparcadlo donde no se vea.

29 **sumisamente**: obedientemente.

Pude oír el ronroneo de los coches cuando aún estábamos a diez metros del garaje.

Normalmente se apaciguaban[30] si entraba yo. Esta vez no fue así. Creo que se dieron cuenta de que había desconocidos; y en cuanto las caras de Gellhorn y los otros fueron visibles, el ronroneo aumentó de volumen. Cada motor hacía un ruido sordo, cada motor producía un golpeteo irregular, de manera que retemblaba todo el local.

Al entrar se encendieron automáticamente las luces del interior. A Gellhorn no pareció preocuparle el estruendo de los coches; los tres hombres que iban con él, en cambio, estaban sorprendidos e incómodos. Tenían pinta de matones contratados, pinta que no procedía tanto de sus rasgos físicos como de cierto cansancio en sus ojos y cierta expresión patibularia.[31] Conocía a la gente de esa ralea,[32] así que no me preocupé.

Uno de ellos dijo:

—Maldita sea, están quemando gasolina.

—Mis coches lo hacen siempre —contesté secamente.

—Pues esta noche no van a hacerlo —dijo Gellhorn—. Párelos.

—No es tan fácil, señor Gellhorn —dije.

—¡Empiece! —dijo.

No me moví. Me apuntaba con el arma.

—Ya le he dicho, señor Gellhorn —dije—, que mis coches reciben buen trato aquí en la granja. Están acostumbrados a eso, y les afecta cualquier otra cosa.

---

30 **se apaciguaban**: se calmaban.

31 **expresión patibularia**: expresión de delincuente.

32 **ralea**: clase (la palabra se usa despreciativamente).

—Le doy sólo un minuto —dijo—. Deje la charla para otra ocasión.

—Estoy tratando de explicarle algo. Estoy tratando de explicarle que mis coches pueden comprender lo que les digo. Un motor positrónico aprende a hacerlo con tiempo y paciencia. Mis coches lo han aprendido. Sally comprendió su propuesta hace dos días. Recuerde que se rió cuando le pregunté su opinión. También se acuerda de lo que usted le hizo, y lo mismo los dos sedanes a los que asustó. En cuanto a los demás, saben perfectamente qué hacer con los intrusos.[33]

—Escuche, viejo chiflado...

—Sólo tengo que decirles —y entonces levanté la voz—: ¡a por ellos!

Uno de los hombres palideció y profirió[34] un grito, pero su voz se ahogó en el estruendo de cincuenta y una bocinas que empezaron a sonar a la vez y sin interrupción; y la resonancia entre las cuatro paredes del garaje se elevó como un grito metálico y salvaje. Avanzaron dos coches sin prisa pero con una clara intención. Otros dos coches se colocaron detrás, en fila. Y el resto de los coches empezaron todos a moverse en sus compartimentos separados.

Los matones se quedaron mirando, y luego retrocedieron.

—¡No se peguen a la pared! —les grité.

Ésa era, al parecer, la intención que tenían; pero, al oírme, los matones echaron a correr desesperadamente hacia la puerta.

33 **intrusos**: personas que entran en un sitio sin ser invitadas.
34 **profirió**: lanzó.

En la puerta, uno de los hombres de Gellhorn se volvió y sacó su arma. El diminuto proyectil trazó un destello fino, azulado, hacia el primer coche, hacia Giuseppe. Le hizo una raya delgada en la pintura del capó, y cuarteó[35] y rayó la mitad derecha del parabrisas; pero no lo rompió.

Los hombres salieron corriendo por la puerta, y los coches arrancaron tras ellos con un chirrido, en fila de dos, tocando a la carga con la bocina.

Sujeté a Gellhorn por el codo, aunque no creo que fuera capaz de moverse. Le temblaban los labios.

—Ésa es la razón por la que no necesito cercas electrificadas ni vigilantes. Mi propiedad se protege sola —dije.

Gellhorn miraba fascinado a uno y otro lado, a medida que los coches salían zumbando de dos en dos.

—¡Son asesinos! —dijo.

—No diga tonterías. No van a matar a sus hombres.

—¡Son asesinos!

—Sólo les van a dar una lección. Mis coches han sido entrenados para persecuciones a campo traviesa, precisamente para casos como éste. Creo que lo que van a recibir sus hombres va a ser peor que una muerte rápida. ¿Le ha perseguido a usted alguna vez un automóvil?

Gellhorn no contestó.

Proseguí. No quería que se perdiese nada:

—Van a ser como sombras para sus hombres, sin correr más que ellos, persiguiéndolos aquí, cortándoles el paso allá, dándoles bocinazos, embistiéndolos, adelantándolos con un chirrido de frenos y un rugido de motor. Estarán así

35 **cuarteó**: fragmentó, dividió en varias partes.

hasta que caigan rendidos, sin aliento, esperando que las ruedas les aplasten los huesos. Sin embargo, no lo harán. Se retirarán. Pero le aseguro que sus hombres no volverán a poner los pies aquí en su vida. Ni por todo el dinero que pueda prometerles usted o diez como usted. Escuche...

Le apreté el codo. Gellhorn prestó atención.

—¿Oye cómo dan portazos? —dije.

Eran unos golpes lejanos, débiles, pero inconfundibles.

—Se están riendo —añadí—. Están disfrutando.

Se le contrajo la cara de rabia. Alzó la mano. Todavía llevaba su arma.

—Yo no haría eso —dije—. Todavía hay con nosotros un coche automático.

Creo que hasta ese momento no se había dado cuenta de la presencia de Sally. Había avanzado muy sigilosamente. Aunque casi me rozaba con la parte derecha del guardabarro delantero, no se le oía el motor. Como si contuviese el aliento.

Gellhorn dejó escapar un grito.

—No lo tocará mientras yo esté con usted —dije—. Pero si me mata... Compréndalo, usted no le cae bien.

Gellhorn volvió su arma en dirección a Sally.

—Tiene el motor blindado —dije—, y antes de que pueda apretar el arma por segunda vez se le habrá echado encima.

—¡Bien, andando entonces! —gritó Gellhorn, y de repente me dobló el brazo hacia atrás y me lo torció de manera que apenas podía resistirlo. Me colocó entre Sally y él, sin disminuir la presión—. Salga conmigo y no intente soltarse, vejestorio, o le descoyunto el brazo.

Tuve que echar a andar. Sally siguió junto a nosotros, preocupada, sin saber qué hacer. Intenté decirle algo, pero no pude. Sólo era capaz de apretar los dientes y gemir.

El automatobús de Gellhorn seguía junto al garaje. Me obligó a subir en él. Gellhorn subió detrás de mí y cerró las puertas.

—Muy bien —dijo—. Ahora seamos razonables.

Me puse a frotarme el brazo, tratando de que me volviera a la normalidad; y mientras lo hacía, de manera maquinal y sin proponérmelo, me fijé en el salpicadero.

—Este automatobús no es original; es una reconstrucción —dije.

—¿Y qué? —dijo Gellhorn en tono de burla—. Es una muestra de mi trabajo. He cogido un chasis desechado, he conseguido un cerebro utilizable y me he fabricado un automatobús. ¿Qué pasa?

Me precipité hacia el salpicadero reparado y lo abrí a la fuerza.

—¿Qué demonios está haciendo? ¡Apártese de ahí! —y me dio un fuerte golpe con la mano en mi hombro izquierdo.

Forcejeé[36] con él.

—No voy hacerle ningún daño. ¿Qué clase de persona cree que soy? Sólo quiero echar una ojeada a ciertas conexiones del motor.

No me costó mucho examinarlo. Me sentía furioso cuando me volví hacia él.

—Es usted un canalla —dije—. No tenía ningún derecho

---

36 **forcejeé**: hice fuerza para librarme de él.

a instalar este motor. ¿Por qué no se lo encargó a un técnico en robótica?

—¿Acaso cree que he perdido el juicio? —dijo.

—Aunque sea un motor robado, no tenía derecho a tratarlo así. Yo no trataría a un hombre de la forma que ha tratado usted ese motor. ¡Soldaduras, cinta aislante y grapas! ¡Qué brutalidad!

—Pero funciona, ¿no?

—Claro que funciona; pero ha debido de ser una tortura para el autobús. Uno puede vivir toda una vida con jaquecas y artritis[37] aguda; pero eso no es vida. Este autobús, con lo que usted le ha hecho, sufre.

—¡Cállese! —miró por la ventanilla y vio que Sally se había acercado cuanto podía al autobús. Gellhorn comprobó que estaban cerradas las puertas y las ventanillas—. Ahora salgamos de aquí, antes de que vuelvan los demás coches. Nos mantendremos alejados.

—¿De qué le servirá?

—Más tarde o más temprano, sus coches se quedarán sin gasolina, ¿no? No los ha preparado para que puedan repostar[38] por sí mismos, ¿verdad? Así que volveremos y terminaremos el trabajo.

—Me buscarán —dije—. La señora Hester llamará a la policía.

No quiso discutir más. Puso el autobús en marcha y arrancó de sopetón. Sally siguió detrás.

Gellhorn dejó escapar una risita.

---

37 **jaqueca**: dolor de cabeza; **artritis**: inflamación de las articulaciones, que produce dolor.

38 **repostar**: llenar de gasolina el depósito del coche.

—¿Qué me puede hacer su coche, si lo tengo a usted aquí conmigo?

Sally pareció darse cuenta también. Cogió velocidad, nos adelantó y desapareció. Gellhorn abrió la ventanilla que tenía al lado y escupió por ella.

El automatobús avanzaba pesadamente por la carretera a oscuras, con el motor golpeteando de manera irregular. Gellhorn apagó casi por completo las luces, de manera que la raya fosforescente de color verdoso del centro de la calzada, brillando a la luz de la luna, fue todo lo que nos impedía chocar contra los árboles. No había tráfico prácticamente. Pasaron dos coches en sentido contrario; en el sentido nuestro no iba ningún coche, ni delante ni detrás.

De repente oí los golpes de las puertas al cerrarse. Fueron golpes rápidos y enérgicos que resonaron en el silencio; uno a la derecha y otro a la izquierda. Las manos de Gellhorn temblaron al teclear salvajemente para aumentar la velocidad. De entre un grupo de árboles surgió un haz de luz que nos deslumbró. Otro haz nos enfocó desde detrás de la banda protectora del otro lado de la carretera. En un cruce, a unos cuatrocientos metros de donde nos encontrábamos, sonó un «squi-i-i-i» al salir veloz un coche por un lado y cruzarse en nuestro camino.

—Sally ha ido a por los demás —dije—. Creo que está usted rodeado.

—¿Y qué? ¿Qué pueden hacer? —se inclinó sobre los mandos y miró a través del parabrisas—. En cuanto a usted, vejestorio —añadió—, no se le ocurra intentar nada.

No podía. Estaba molido y me ardía el brazo izquierdo. Los ruidos de motor se iban agrupando y acercando hacia

nosotros. Pude oír siseos que no eran normales. De pronto me dio la impresión de que hablaban entre sí.

De atrás nos llegó un alboroto de bocinas. Me volví, y Gellhorn miró alarmado por el retrovisor. Una docena de coches nos seguían a lo largo de los dos carriles de la carretera. Gellhorn soltó un grito y rió frenéticamente.

—¡Pare! ¡Pare el automatobús! —exclamé.

Porque delante de nosotros, a menos de quinientos metros, claramente visible a la luz de dos sedanes detenidos en el borde de la carretera, estaba Sally con su elegante carrocería cruzada en mitad de la calzada. Dos coches se situaron rápidamente a nuestra izquierda, en el carril contrario, adoptando la misma velocidad que nosotros para impedir que Gellhorn girase.

Pero no tenía intención de girar. Puso el dedo sobre el botón de «velocidad máxima» y lo pulsó.

—Aquí no va a haber fanfarronadas —dijo—. Este automatobús pesa cinco veces más que esa Sally, vejestorio; así que la vamos a apartar de la carretera como dos y dos son cuatro.

Yo sabía que podía hacerlo y que lo haría. El automatobús estaba en manual y el dedo de Gellhorn apretó el botón.

Bajé el cristal de la ventanilla, y saqué la cabeza.

—¡Sally! —grité—. ¡Aparta, Sally!

El grito lo ahogó el chirrido de los discos de los frenos. Me sentí proyectado hacia adelante, y oí a Gellhorn soltar un resoplido.

—¿Qué ha pasado? —dije.

Fue una pregunta estúpida. Habíamos parado. Eso era lo que había pasado. Sally estaba a metro y medio del automatobús. Pese a que se le venía encima un peso cinco veces superior al suyo, no se había movido. Tenía agallas.[39]

Gellhorn dio un tirón al interruptor manual.

—Tiene que seguir adelante —murmuró—. Tiene que seguir.

—No sigue debido a la forma en que le ha acoplado el motor, sabio —dije—: debe de haberse producido un cortocircuito.

Me lanzó una mirada furibunda[40] y soltó un gruñido profundo. Tenía el pelo enmarañado sobre la frente. Levantó el puño y me apuntó con el arma.

—Ésta es toda la advertencia que va usted a recibir, vejestorio.

Me di cuenta de que estaba a punto de disparar su pistola de agujas.

Me eché contra la puerta del automatobús al tiempo que vi a Gellhorn apuntar el arma; de repente se abrió la puerta, caí de espaldas, y fui a dar contra el asfalto con un golpazo sordo. Oí cerrarse la puerta otra vez.

Me incorporé sobre las rodillas y alcé los ojos a tiempo de ver a Gellhorn forcejear impotente con la ventanilla cerrada, luego apuntar rápidamente su arma hacia el cristal. No llegó a disparar. El automatobús arrancó de repente con un rugido tremendo, y Gellhorn cayó hacia atrás.

Sally no se interponía ya en su camino, y vi cómo parpadeaban y se perdían a lo lejos las luces traseras del autobús.

---

39 **tenía agallas**: era valiente.
40 **furibunda**: de rabia.

Me sentía agotado. Me quedé sentado allí mismo, en la calzada, y apoyé la cabeza en los brazos cruzados, tratando de recobrar el aliento.

Oí detenerse un coche junto a mí. Al levantar la vista, vi que era Sally. Lentamente —amorosamente, podría decirse—, se abrió la puerta delantera.

Hacía cinco años que nadie conducía a Sally —salvo Gellhorn, por supuesto—, y sé lo que vale esa libertad para un coche. Aprecié el gesto; pero le dije:

—No, gracias, Sally; subiré en uno de los más nuevos.

Me levanté y me alejé, pero, con una pirueta, Sally se colocó hábilmente delante de mí otra vez. No fui capaz de herir sus sentimientos. Subí. Su asiento delantero tenía ese perfume grato y fresco del automóvil que se mantiene a sí mismo impecablemente limpio. Me eché en él, agradecido; y con suave, silenciosa y rápida eficiencia, mis chicos y chicas me llevaron a casa.

A la tarde siguiente, la señora Hester, enormemente excitada, me trajo la transcripción[41] de las noticias que acababan de dar por la radio.

—Se trata del señor Gellhorn —dijo, enseñándole el texto—. El hombre que vino a verle.

—¿Qué le ha pasado?

Me asustaba la respuesta que pudiera darme.

—Lo han encontrado muerto —dijo—. Imagínese: lo han encontrado tirado en la cuneta.

—Tal vez se trate de un desconocido —murmuré.

41 **transcripción**: texto escrito de un mensaje hablado.

—Raymond J. Gellhorn —dijo ella tajante—. No puede ser otro, ¿no cree? Además, la descripción se ajusta a él. ¡Dios mío, qué manera de morir! Han encontrado huellas de neumáticos en su cuerpo y sus brazos. ¡Imagínese! Me alegro de que fueran de autobús; ¡de lo contrario, habrían venido a investigar por aquí!

—¿Ha ocurrido cerca? —pregunté con inquietud.

—No... cerca de Cooksville. Pero, Dios mío, léalo usted mismo... Pero ¿qué le ha pasado a Giuseppe?

Agradecí este desvío de la conversación. Giuseppe esperaba paciente a que yo terminase de repasarle la pintura. Le había sustituido el parabrisas.

Cuando se hubo marchado la señora Hester, cogí, ansioso, el texto que me había pasado. No cabía duda. El informe médico decía que había estado corriendo, y que se hallaba en un estado de total agotamiento. Me pregunté durante cuántos quilómetros habría estado jugando con él el automatobús, antes de la embestida definitiva. La

transcripción no daba ningún detalle al respecto, como es natural.

Habían localizado el automatobús y lo habían identificado por las huellas de los neumáticos. Lo tenía la policía, y ahora andaban buscando al propietario.

El texto contenía un comentario periodístico sobre el caso. Era el primer accidente de tráfico del año en el Estado, y el periódico prevenía enérgicamente contra la conducción manual de noche.

No se mencionaba a los tres matones de Gellhorn, lo cual me produjo gran alivio. Ninguno de nuestros coches se dejó tentar por el placer de concluir la persecución rematando de muerte a la caza.

Eso era todo. Dejé el papel en la mesa. Gellhorn era un delincuente. El trato que había dado al automatobús había sido brutal. Yo no abrigaba ninguna duda de que merecía la muerte. Sin embargo, me producía cierta intranquilidad su manera de morir.

Ha transcurrido un mes, y no se me va de la cabeza. Mis coches hablan entre sí; de eso no me cabe ya ninguna duda. Es como si hubiesen ganado seguridad; como si no se molestasen ya en mantenerlo en secreto. Sus motores ronronean y golpetean sin cesar.

Y no sólo hablan entre sí. Hablan también con los coches y autobuses que llegan a la granja por cuestiones profesionales. ¿Desde cuándo lo vienen haciendo?

Y no hay duda de que también se hacen comprender. El automatobús de Gellhorn los comprendió, a pesar de que no estuvo en nuestro terreno más de una hora. Si cierro los ojos, todavía puedo recordar aquella carrera por la carretera, con nuestros coches flanqueándolo[42] a uno y otro lado, haciendo ruidos con sus motores, hasta que comprendió, se detuvo, me dejó salir, y se fue con Gellhorn.

¿Le dijeron mis coches que matara a Gellhorn? ¿O fue idea suya?

¿Pueden los coches tener esa clase de ideas? Los diseñadores de motores dicen que no. Pero eso es en condiciones ordinarias. ¿Han previsto todas las posibilidades?

Todos sabemos que se maltrata a los coches.

A veces entra algún automóvil que no es de los míos en la granja y observa. Oye cosas. Descubre que hay coches cuyos motores no han parado nunca, coches que no son conducidos por nadie y cuyas necesidades están todas cubiertas.

Luego se van y quizá lo cuentan a otros. Y quizá la noticia se está difundiendo rápidamente. Quizá acabarán pensando que debería ampliarse a todo el mundo ese trato de la granja. No entienden el porqué de estas diferencias. Ni podemos esperar que entiendan de legados[43] y caprichos de la gente rica.

Hay millones de automóviles en la tierra, decenas de millones. Como se les meta en la cabeza que son esclavos y que deben hacer algo al respecto..., como empiecen a pensar de la misma manera que el automatobús de Gellhorn...

Puede que ocurra eso cuando yo ya no esté. Entonces tendrán que conservar a unos cuantos de nosotros para que cuidemos de ellos, ¿no? No creo que vayan a matarnos a todos.

---

42 **flanqueándolo**: yendo a ambos lados de él.

43 **legado**: lo que se deja en herencia. Se refiere al dinero que entregan los propietarios de coches antiguos para que los cuiden en la granja.

O puede que lo hagan. Puede que no entiendan que tiene que haber alguien que los atienda. Puede que no esperen.

Todas las mañanas, al despertarme, pienso: tal vez sea hoy…

Ya no disfruto con los coches como antes. Me he dado cuenta de que últimamente evito encontrarme con Sally.

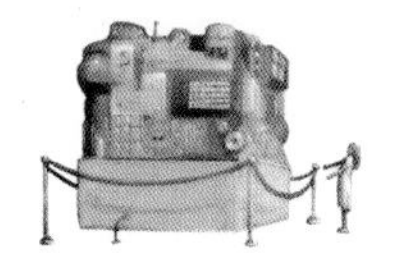

actividades

actividades

Robbie

Argumento

1 Al principio de este relato Robbie y Gloria juegan alegremente al escondite como si Robbie no fuera un robot sino un niño. Pero Gloria es un poco tramposa y dominante. ¿Cómo se deja ganar Robbie al escondite? ¿Y cómo le 'paga' Gloria? (pág. 10) ¿De qué manera presiona luego la niña a su amiguito para que acepte darle un paseo? (pág. 14)

2 La madre de Gloria interrumpe la diversión. ¿Qué crees que siente Robbie por la madre? (pág. 18)

3 A la señora Weston no le gusta Robbie, y se lo dice a su esposo. ¿Por qué motivos no le gusta el robot a la madre? (págs. 21 y 23) ¿Qué razones le da el señor Weston a su esposa para que pierda todo temor? (pág. 22)

4 Al final el padre cede a los deseos de su esposa. ¿Con qué intención llevan un buen día a Gloria al espectáculo de visivox?

5 Gloria se queda sola y sin consuelo, y acaba casi por enfermar. Para animarla, sus padres planean un viaje a Nueva York, y a Gloria le cambia el estado de ánimo: ¿crees que se debe al placer del viaje? (pág. 32)

6 En una visita al Museo de la Ciencia, Gloria interroga al Robot Parlante

sobre el paradero de Robbie, y la madre descubre, desesperada, que Gloria sigue obsesionada con su amigo robot. ¿Qué planea entonces el señor Weston? (pág. 40) ¿A quién se encuentran en la fábrica y por qué está allí? ¿Cómo acaba el relato?

Comentario

1 En esta historia futurista se nos narra la relación entre los tres miembros de una familia y su mascota, Robbie. Ya hemos dicho que Gloria ve en Robbie más un niño que un robot. Pero, por importantes que en el futuro puedan ser los robots, ¿crees que pueden sustituir a los seres humanos? Comenta las siguientes frases de la madre y del padre de Gloria:

- MADRE: Gloria no quiere jugar con nadie más que con Robbie. Hay docenas de niños y niñas de su edad con los que podría hacer amistad; pero no quiere.
- PADRE: Imagínate que Robbie fuera un perro. He visto centenares de niños que preferirían un perro a su padre.

¿Cuál te parece entonces que es el problema de esta familia? ¿Crees que la televisión, los videojuegos o los ordenadores personales vienen a ser hoy en día para las personas lo mismo que Robbie para Gloria?

2 En la sociedad futura que se pinta en este relato los robots tienen cada vez más importancia. ¿Qué se fabrica en la empresa que visita la familia y qué empleados tiene? (pág. 41) ¿Qué tipo de fábricas emplean hoy en día robots? ¿Qué ventajas y qué inconvenientes crees que pueden tener los robots? El señor Struthers indica una desventaja (pág. 41); coméntala.

3 El autor, Isaac Asimov, se burla de lo retrasada que, en comparación con Robbie, es una máquina como

el Robot Parlante. ¿Qué tamaño tiene el Robot Parlante y qué funciones puede realizar? (págs. 36-38) ¿Qué tamaño crees que tiene hoy en día un ordenador capaz de hacer lo mismo que el Robot Parlante? ¿Qué diferencias hay entre el Robot Parlante y Robbie?

Expresión

1. A la madre de Gloria no le gusta Robbie porque, entre otras razones, algo puede fallar en su mecanismo. Escríbele una nota al padre explicándole qué podría ocurrir en tal caso.

2. Hoy en día son ya muchos los aparatos de todo tipo que nos hacen más cómoda la vida en el hogar. Haz una lista de algunos de esos aparatos y complétala con otros que no se hayan inventado aún pero que nos pudieran facilitar todavía más la vida.

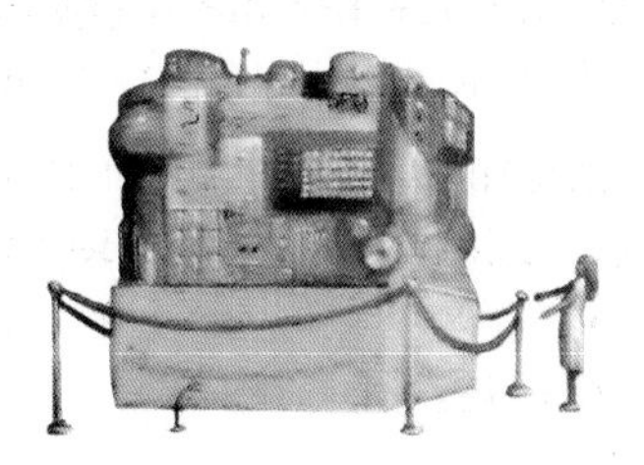

Sally

Argumento

1 Raymond Gellhorn llega un buen día a la 'granja' de coches automáticos de Jacob Folkers, quien le explica al lector cómo y por qué se fundó esta institución. ¿A qué se dedicaba Folkers antes de dirigir la granja? ¿Qué ventajas tenían los coches automáticos respecto a los manuales? (págs. 54-56)

2 Gellhorn pretende hacer negocios. ¿Qué le propone a Folkers y qué le contesta éste? (págs. 60-62) ¿Qué hace entonces con Sally? (págs. 63-64)

3 Dos días más tarde de ser expulsado por Folkers, Gellhorn regresa con unos matones: ¿con qué intención? ¿Qué está dispuesto a hacer si Folkers no coopera? (pág. 68)

4 Al entrar los maleantes en el garaje, ¿cómo reaccionan los automáticos? (págs. 70-72)

5 Folkers es obligado a subir en el automatobús y se lleva una desagradable sorpresa. ¿Qué le ha hecho Gellhorn al automatobús? (pág. 75) ¿Qué ocurre cuando el automatobús se pone en marcha?

6 Gellhorn pretende embestir a Sally —que se ha atravesado en la carretera— apretando el botón de máxima velocidad. ¿Pero cómo reacciona entonces el automatobús? (págs. 78-79)

7 Al día siguiente, la señora Hester comenta con Folkers una noticia que ha difundido la radio. ¿Qué ha ocurrido? (págs. 80-82)

8 Transcurrido un mes, algo parece haber cambiado en la granja. ¿Qué sospecha Folkers de la relación entre los automáticos? (págs. 82-84)

Comentario

1 Uno de los rasgos más originales y atractivos de este cuento es que los coches automáticos son tratados como personas. Desde el principio se nos dice que los coches tienen "personalidad", que los descapotables son femeninos y los sedanes masculinos. ¿Cómo se comporta Jeremías? (pág. 53) ¿Qué llega a decir Jacob de los automáticos? (pág. 57) ¿A qué obedece la reacción final del automatobús?

2 En *Robbie* se nos dice que los robots fabrican robots y que las personas acaban por ello perdiendo el empleo. Al final de *Sally*, ¿qué se insinúa que pueden hacer los coches automáticos? (págs. 83-84) ¿Crees que algo así podría suceder, o se trata de una simple fantasía?

Expresión

1 Los seres humanos no desempeñan en este relato un papel tan importante como los coches automáticos. Desde el primer momento no cabe duda de que Gellhorn es un personaje malvado (pág. 50) y Folkers es bondadoso. ¿Cómo imaginas que sería un coche automático malvado y otro bondadoso? Descríbelos tanto en su aspecto físico como en su carácter y su comportamiento.

2 Gellhorn, conduciendo a Sally contra su voluntad, obliga a

salirse de la carretera a Giusseppe y Steve (págs. 63-64). Escribe lo que piensa cada uno de esos tres coches a lo largo de esa escena, desde la mente y la perspectiva de cada uno de ellos.

Isaac Asimov (1920-1992)

Isaac Asimov nació en la ciudad rusa de Petrovichi el 2 de enero de 1920 y, cuando apenas tenía tres años, se trasladó a vivir con toda su familia a los Estados Unidos. Dotado de una gran inteligencia y una prodigiosa memoria, Asimov era también un lector empedernido que, desde los seis años de edad, devoraba cuantos libros le caían en las manos. Aunque sus padres deseaban que fuera médico, Asimov estudió bioquímica en la Universidad de Columbia y fue posteriormente profesor de esta materia en la Universidad de Boston. Sus vastos conocimientos lo llevaron a escribir con amenidad y sentido del humor cientos de libros de divulgación sobre matemáticas, física, química y otras materias tan diversas como la lingüística o la Biblia.

Asimov se dio a conocer como autor de obras de ciencia ficción con el relato «Anochecer» (1941), pero su primera novela, *Un guijarro en el cielo*, no se publicó hasta 1950. Su trilogía sobre la caída de un imperio en un mundo futuro *Fundación* (1951), *Fundación e imperio* (1952) y *Segunda Fundación* (1953) obtuvo el premio Hugo y consolidó su fama de escritor. En sus relatos sobre robots, reunidos en *Yo, robot* (1950), Asimov defendió la idea de que los robots no son criaturas maléficas que atacan a los seres humanos, como se explicaba en los libros de ciencia ficción, sino máquinas diseñadas para ayudar a las personas que se comportan con más sensatez que ellas y hasta pueden albergar sentimientos humanos, como se evidencia en *Robbie* y *Sally*.

CUCAÑA

1. Oscar Wilde
   El Gigante egoísta y otros cuentos
   Ilustraciones de P. J. Lynch
2. Steven Zorn
   Relatos de fantasmas
   Ilustraciones de John Bradley
3. William Irish
   Aprendiz de detective
   Un robo muy costoso
   Ilustraciones de Rubén Pellejero
4. Edith Nesbit
   Melisenda
   Ilustraciones de P. J. Lynch
5. Isaac Asimov
   Amigos robots
   Ilustraciones de D. Shannon
6. Martin Waddell
   La Biblia. Historias del Antiguo Testamento
   Ilustraciones de G. Patterson
7. Varios autores
   Arroyo claro, fuente serena
   Antología lírica infantil
   Ilustraciones de C. Ranucci
8. Cornell Woolrich
   El ojo de cristal
   Charlie saldrá esta noche
   Ilustraciones de Tha
9. Varios autores
   La rosa de los vientos
   Antología poética
   Ilustraciones de Jesús Gabán
10. L. Frank Baum
    El mago de Oz
    Adaptación de James Riordan
    Ilustraciones de Victor Ambrus
11. Reiner Zimnik
    Los tambores
    Ilustraciones de Reiner Zimnik
12. Mary Hoffman
    Un tirón de la cola
    Ilustraciones de Jan Ormerod
13. Anónimo
    El jorobado y otros cuentos de «Las mil y una noches»
    Versión de Brian Alderson
    Ilustraciones de M. Foreman
14. Rudyard Kipling
    Las aventuras de Mowgli
    Ilustraciones de Inga Moore
15. Horacio Quiroga
    Anaconda y otros cuentos de la selva
    Ilustraciones de A. Domínguez
16. H. C. Andersen
    La Reina de las Nieves
    Ilustraciones de P. J. Lynch

17. Varios autores
La Bella y la Bestia
y otros cuentos maravillosos
Ilustraciones de P. J. Lynch

18. Charles Perrault
Riquete el del Copete
Ilustraciones de Jean Claverie

19. Anónimo
Simbad el marino
Adaptación de Agustín Sánchez
Ilustraciones de Amélie Veaux

20. Daniel Defoe
Robinson Crusoe
Adaptación de Eduardo Alonso
Ilustraciones de Robert Ingpen

21. Eduardo Soler
Atina y adivina
Ilustraciones de N. López Vigil

22. Victor Hugo
El jorobado de Notre Dame
Adaptación de Miguel Tristán
Ilustraciones de A. Urdiales

23. Jerry Pinkney
Fábulas de Esopo
Ilustraciones de Jerry Pinkney

24. Hugh Lupton
La voz de los sueños
y otros cuentos prodigiosos
Ilustraciones de Niamh Sharkey

25. Charles Dickens
Cuento de Navidad
Adaptación de P. Antón Pascual
Ilustraciones de C. Birmingham

26. Horacio Quiroga
El devorador de hombres
Ilustraciones de François Roca

27. Steven Zorn
Relatos de monstruos
Ilustraciones de John Bradley

28. Rudyard Kipling
Los perros rojos
El ankus del rey
Ilustraciones de Francisco Solé

29. Miguel de Cervantes
Don Quijote
Adaptación de Agustín Sánchez
Ilustraciones de Svetlin

30. Brendan Behan
El príncipe y el gigante
Ilustraciones de P. J. Lynch

31. H. C. Andersen
El ruiseñor y otros cuentos
Ilustraciones de C. Birmingham

32. Juan Ramón Jiménez
Estampas de *Platero y yo*
Selección de J. R. Torregrosa
Ilustraciones de Jesús Gabán

33. G. A. Bürger
Las aventuras del barón
de Munchausen
Adaptación de Eduardo Murias
Ilustraciones de Svetlin

34. Jonathan Swift
Los viajes de Gulliver
Adaptación de Martin Jenkins
Ilustraciones de Chris Riddell

35. Charles Dickens
Oliver Twist
Adaptación de Pablo Antón
Ilustraciones de C. Birmingham

36. Juan Ramón Jiménez
El iris mágico.
Antología lírica
Selección de J. R. Torregrosa
Ilustraciones de Jesús Gabán

37. Mino Milani
Un ángel, probablemente
Ilustraciones de G. de Conno

38. Rudyard Kipling
Kim
Adaptación de Eduardo Alonso
Ilustraciones de Francisco Solé
y Fuencisla del Amo

39. Agustín Sánchez Aguilar
La leyenda del Cid
Ilustraciones de Jesús Gabán

40. Walter Scott
Ivanhoe
Adaptación de Manuel Broncano
Ilustraciones de John Rush

41. Jules Verne
Miguel Strogoff
Adaptación de J.M. Pérez Zúñiga
Ilustraciones de Javier Serrano
(En preparación)

42. Joanot Martorell
Tirante el Blanco
Adaptación de Ismael Torres
Ilustraciones de Jesús Gabán
(En preparación)

43. Colin McNaughton
Jolly Roger
Ilustraciones de C. McNaughton